달콤한 잠은 거짓말

달콤한 작은 거짓말
Copyright©2004 by Kaori EKUNI
First published in Japan in 2004 under the title "Sweet Little Lies"
by Gentosha Co., Ltd.
Korean translation rights arranged with Kaori EKUNI
through Japan Foreign-Rights Centre&Imprima Korea Agency

이 책의 한국어판 저작권은 Japan Foreign-Rights Centre&Imprima Korea Agency를 통한
Kaori EKUNI와의 독점계약으로 (주)태일소담에 있습니다. 저작권법에 의해 한국 내에서 보호를
받는 저작물이므로 무단전재와 무단복제를 금합니다.

달콤한 작은 거짓말

펴낸날 | 2010년 11월 15일 초판 1쇄
         2010년 12월 9일 초판 3쇄

지은이 | 에쿠니 가오리
옮긴이 | 신유희
펴낸이 | 이태권
펴낸곳 | (주)태일소담
         서울시 성북구 성북동 178-2 (우)136-020
         전화 | 745-8566~7 팩스 | 747-3238
         e-mail | sodam@dreamsodam.co.kr
         등록번호 | 제2-42호(1979년 11월 14일)
         홈페이지 | www.dreamsodam.co.kr

ISBN 978-89-7381-617-0 03830

● 책값은 뒤표지에 있습니다.
● 잘못된 책은 구입하신 곳에서 교환해드립니다.

달콤한 작은 거짓말

에쿠니 가오리 지음

신유희 옮김

소담출판사

차례

솔라닌

학창 시절, 가정 과목은 영 자신이 없었다. 오렌지 껍질을 띄운 홍차를 마시며 이와모토 루리코는 생각한다. 그게 다 담당 선생님이 마음에 들지 않았던 탓이다. 루리코는 사람에 대해 좋고 싫음이 분명하다. 그리고 그 자신 없었던 가정 시간에 배운 내용 중 지금껏 잊히지 않는 것이 딱 하나 있다.

솔라닌.

감자 싹에는 솔라닌이라는 독소가 있어서 먹으면 안 된다고 배웠다.

얼마나 많은 싹이 필요할까. 쿠키를 한 입 베어 물고 루리코는 생각한다. 부엌 구석에 놓아둔 골판지 상자를 흘낏 보았다. 감자는 남편 고향인 오비히로에서 해마다 보내온다. 삶고 굽고 튀기고 찌고 으깨 먹어도 남아서 뇨키(gnocchi, 감자 경단을 소스에 넣어 먹는 이탈리아 요리—옮긴이)나 팬케이크까지 만들어 먹어도 부부 둘이 소화하기에는 벅찬 양이었다. 자그맣고 울퉁불퉁한 감자가 아직 스무 개는 더 남아 있을 것이다. 그중 몇 개는 슬슬 싹이 나기 시작했다.

"하지만 루리코 씨가 가정 과목에 약했다니 의외네요."

후지이 도미코가 두 손으로 찻잔을 감싸듯이 쥐고 고개를 갸웃거리며 말했다.

"진짜 의외예요."

루리코는,

"그래요?"

하고 살짝 미소 지었을 뿐, 다시 멍한 표정으로 감자 싹에 대해 몽상한다.

조림이 나으려나. 설탕과 간장으로 졸이기만 하면 된다. 남편은 늘 퇴근하면 집에 와 저녁을 먹고, 루리코가 차려주는 요리라면 뭐든 군말 없이 먹는다.

"그럼, 전 슬슬 가볼게요."

도미코가 일어나 코트를 입었다.

"촬영은 19일이에요. 한 시에 카메라맨과 함께 찾아뵐 테니 잊지 마세요."

"걱정 마요."

루리코는 약속했다.

"쿠키 조금 가져갈래요?"

"저야 좋죠. 그래도 돼요?"

루리코는 테디 베어 작가다. 학창 시절에 취미 삼아 시작했다가 점점 빠져들어 1년간 영국에서 공부했고, 귀국한 후에 각종 축하 카드 표지나 광고 사진용으로 자신이 만든 베어를 대여해주면서 조금씩 평판이 나기 시작했다. 전량 주문 제작 방식을 고수하는데, 작은 전시회를 열면서 루리코의 베어를 사겠다는 사람이 엄청나게 늘어나, 지금은 보조를 셋이나 두고도 기한을 못 맞출 정도다. 도미코네 잡지에서 특집으로 다뤄진 것도 인기를 불러일으켰다. 지난해부터는 오모테산도에 있는 패션빌딩 지하에 상설 코너도 생겼다. 게다가 루리코는 홍차와 과자 연구가―물론 본인은 연구할 마음 따위 조금도 없지만―로도 잡지를 중심으로 제법 이름이 알려져 있었다.

억지 정사(情死)라는 것이겠지.

현관에서 도미코를 배웅한 루리코는 문을 잠그고 거실로 돌아오면서 생각한다. 둘이 사이좋게 예의 감자조림을 나눠 먹고 죽는다면, 그게 바로 억지 정사일 테지.

난방 탓에 실내 공기가 몹시 탁하고 건조했다. 루리코는 목도리를 두르고 창문을 열었다. 12월 하늘은 파르스름하게 저물기 시작하고 싸늘한 바람이 베란다에서 키우는 허브 화분의 잎을 흔든다. 바로 밑으로 보이는 가로수는 완전히 헐벗은 채 춥디추운 모습으로 가지를 뻗치고 있었다.

목도리는 남편 것이다. 촉감 좋은 알파카로 만든 회색 목도리다. 끄트머리에는 아르마니 글자가 수놓인 작은 라벨이 붙어 있다. 루리코는 그 약간 긴 듯한 목도리를 둘둘 만 채 그릇들을 부엌으로 가져가 씻기 시작한다. 남은 감자에 전부 싹이 나려면 앞으로 시간이 얼마나 더 걸릴까.

이와모토 사토시는 십대 때부터 늘 일찍 결혼하는 것이 꿈이었다. 안정을 찾고 싶었던 것이다. 조금이라도 빨리.

스물다섯에 결혼했다. 3년 전이다. 동료들 사이에서는 이른 축에 속했고 잘 생각하라며 충고하는 이들도 있었지만, 사토시가 결혼을 후회한 적은 한 번도 없었다.

다만……. 혼잡한 지하철에 흔들리면서 사토시는 생각한다. 다만, 그녀의 열정에는 가끔 질릴 때가 있다. 열정. 그것도 지극히 내향적인. 예를 들어 지난 3년 동안 사토시는 바람을 피운 적도, 의심 살 만한 짓을 한 기억도 전혀 없다. 그런데도 아내는 "만약 당신이 바람을 피운다면, 난 그 자리에서 당신을 찔러 죽일 거야."라고 종종 선언한다. 시커먼 지하철 유리문에 자신의 앳된 하얀 얼굴이 비친다.

아내 루리코와는 비행기 안에서 처음 만났다. 학창 시절 마지막 여행으로 유럽에 갔다가 돌아오는 길에 우연히 옆자리에 앉게 되었다. 사토시가 먼저 말을 붙였고, 끝내는 거의 반강제로 연락처를 알아냈다. 한마디로 마음에 쏙 들었던 것이다.

루리코는 사토시보다 두 살이 많아 올해 서른인데, 나이보다는 조금 들어 보인다. 천진함 대신 사려 깊은 면모가 몸에 밴 듯한 여자. 예전에 친구에게 그렇게 설명한 적이 있다. 요컨대 루리코의 어른스러운 면에 끌렸던 것이다. 사토시가 질색하는 '여자 냄새'를 풍기지 않는 점도 좋았다. 화장기 없

이, 주로 청바지에 스니커즈 차림으로 다녔다. 말투며 행동에
도 어리광이라곤 없고, 그렇다고 나이 든 티를 내는 것도 아
니었다. 얌전하면서도 신선하고, 아름다운 여자라는 느낌을
받았다.

직장이 있는 니혼바시에서 산겐자야의 맨션까지는 50분이
걸린다. 지하철만 세 번―그중 두 번은 직통이라서 실질적으
로는 두 번―갈아탄다. 사토시는 그 시간 동안 대개 워크맨으
로 음악을 듣는다.

남편은 7시 반에 귀가한다. 루리코는 다림질을 하면서 시
계를 보았다. 잔업이 있을 때는 미리 전화를 해주는데, 무엇
보다 잔업이 적은 것이 외자계 회사의 좋은 점이라고 루리코
는 늘 생각한다.

저녁 식사는 부엌에 마련돼 있고, 식기는 테이블에 세팅되
어 있다. 사토시가 좋아하는 메뉴들뿐이다. 사토시는 원래 좀
편식을 하는 편이라, 얼마나 균형 있게 먹이느냐가 루리코의
남모를 즐거움이다.

"나 왔어."

열쇠로 문을 여는 소리가 들리기 무섭게 루리코는 현관으

로 뛰어나갔다.

"어서 와요."

들어서는 남편에게서 바깥 공기 냄새가 난다. 피우지 않는 담배 냄새도 어렴풋이 난다. 루리코는 두 손을 등 뒤에서 깍지 끼고 선 채 코를 킁킁거린다.

"오늘 도미코 씨가 다녀갔어."

여느 때처럼 루리코는 하루 일을 보고한다.

"19일에 또 올 거야. 봄 테이블 사진을 찍고 싶대. 딸기과자를 만들기로 했어."

사토시는 흠, 하고 대답한 후 침실로 가서 양복을 벗고 파자마로 갈아입는다.

"오전에는 이걸 만들었어."

루리코는 지름 7센티 정도 되는 곰의 머리를 내밀었다. 눈, 코, 입 다 달려 있지만 귀는 아직 없고, 목 부분에 은색 뼈대가 꽂혀 있다.

"그 애 이름은 뭐야?"

그로테스크하다고 생각했지만, 사토시는 그 생각을 얼굴에 드러내지 않은 채 물었다.

"로버트."

손바닥 위에 놓인 머리를 돌돌 흔들면서 루리코는 대답한다.

"팀의 형이고 나나의 사촌이야. 팀이랑 많이 닮았지? 같은 천으로 만들었거든."

세면대에서 손을 씻고 입가심을 하는 동안에도 루리코는 곁에 서서 이야기를 계속한다. 돌아온 지 10분이 채 안 돼서 아내의 그날 하루에 대해 점심 메뉴까지 파악해버리는 것이 사토시의 일상이었다.

물론 루리코는 사토시의 하루를 꼬치꼬치 캐묻거나 하지 않는다. 캐묻기는커녕 이렇게 말한다.

"나는 그저 당신에게 들려주고 싶어서 말하는 거야. 나나 당신이나 이야기할 의무 같은 건 전혀 없어."

하지만 그 말속에 담긴 가시, 혹은 압박은 당연히 사토시를 움츠러들게 만든다. 아침 7시 반에 집을 나가 하루 종일 회사에서 내근하다 저녁 6시 반에 회사를 나와 7시 반에 집에 돌아오는 단조로운 일상. 그런데도 뭔가를 이야기해야만 할 것 같은 기분이 들고 만다. 어차피 숨기고 말고 할 일도 없으니.

"회사 화장실 문 경첩이 헐거워졌는지 문이 약간 틀어져서 잘 닫히질 않아."

라는 이야기를 하기도 한다.

"회사 커피는 어째 그리 맛이 없는지."

라든가,

"잠이 모자라서 종일 졸았어."

라든가.

루리코는 그 어떤 이야기든 진지한 얼굴로 들어주고 의미 심장하게 고개를 끄덕인다.

저녁 식사가 끝나면 사토시는 대개 자기 방에서 컴퓨터를 하며 시간을 보낸다. 메일을 확인하거나 웹 서핑도 하지만, 대개는 게임을 한다. 요즘에는 축구팀이나 편의점을 경영하는 게임에 빠져 있다. 투룸 맨션의 거실은 대부분 루리코가 작업실 대신 쓰고 있어서, 방 두 개 중 하나는 침실로, 다른 하나는 사토시가 사용한다.

"방문은 왜 잠그는데?"

신혼 초 루리코가 따져 물었지만, 방문을 잠그는 건 어려서부터 몸에 밴 습관이라 쉽게 고쳐지지가 않는다.

"차 끓였는데 마실래요?"

루리코가 사토시 휴대전화로 전화를 걸어온다.

"아, 그럼, 마실게요."

빈번히 높임말이 오가는 건 결혼한 지 3년이 지났어도 여전하다.

"오빠네는 이상해애."

여동생 아야에게 곧잘 그런 놀림을 받는다.

아야와는 여덟 살 터울이다. 현재 사토시가 졸업한 대학 3학년이다.

"새언니는 특이해."

라는 말도 심심찮게 한다.

"하지만 오빠도 특이하니까 괴짜들끼리 잘 맞을지도."

아야 말에 의하면 사토시는 '의사소통에 서툴'고, '자각하지 못하는 무기력증'이 있단다.

"뭔가 결여되어 있다니까아."

라고 아야는 말한다(루리코는 말꼬리를 늘어뜨리는 버릇이 있는 아야가 꼭 애니메이션 〈아바시리 일가〉에 나오는 고에몬 같단다).

아야와는 어릴 때부터 거의 떨어져 자랐다. 배다른 남매인 건 아니고, 같은 부모 밑에서 태어났지만 두 분이 오랫동안 떨어져 산 탓이다. 두 분 다 홋카이도 출신인데, 아버지가 혼자 도쿄로 부임해 줄곧 거기서 지내는 바람에 사토시는 세 살 때부터 아버지와 도쿄에서 살았고, 5년 후에 태어난 아야는 어머니와 홋카이도에서 살았다. 사토시 눈에는 부모님 사이가 딱히 나빠 보이지 않았고, 유치원 때부터 국제 학교를 다닌 탓인지 주변 사람들과 다른 가정환경에 특별히 위화감을 느낀 적도 없었다.

노크 소리에 방문을 열자 루리코가 호지차를 받쳐 들고 서 있었다. 차탁에는 소바보우로(메밀가루에 설탕과 달걀을 넣어 구운 과자로 차와 함께 먹으면 잘 어울린다—옮긴이)가 하나 놓여 있다.

대체 그딴 게임이 뭐가 그리 재밌는지.

루리코는 거실에서 비디오 덱에 테이프를 넣으며 생각한다. 결혼한 지 3년, 사토시는 저녁 식사를 끝내기 무섭게 자기 방으로 들어가 버린다. 방문까지 걸어 잠그고 묘한 게임에 열중한다.

그동안 루리코는 작업을 하거나 비디오로 영화를 본다. 신작 전시회를 앞두었다든지 하는 특별한 때가 아니면 대개 낮 시간에 작업하기 때문에, 밤에는 오늘처럼 비디오를 볼 때가 많다. 영화는 옛날부터 좋아해서 결혼 전만 해도 한 달에 네다섯 번은 영화관을 찾았다. 요즘에는 오로지 비디오로 보지만, 이건 이것대로 마음에 드는 것을 몇 번이고 반복해서 볼 수 있어 좋았다.

그렇더라도 이렇게 좁은 집에 살면서 서로 얼굴 보기도 힘들고, 벌써 2년 가까이 육체적인 교류가 없는 것에 대해 남편은 과연 어떻게 생각할까. 루리코는 벽 쪽에 쿠션을 쌓아 올리고 무릎 담요를 덮고 앉아, 한 손에 리모컨을 든 채 생각한다.

아이는 원하지 않았다. 루리코에게는 단지 둘이라는 숫자가 중요했다. 영화 〈금지된 장난〉의 미셸과 폴레트처럼 사토시와 꼭 붙어 살아가고 싶은 마음뿐이었다.

친구란 건 지나치게 과대평가되어 있다. 사토시와 만나기 시작한 지 얼마 되지 않았을 무렵, 서로 의견이 맞아 무르익었던 화제 중 하나가 바로 그것이었다. 자랑은 아니지만 루리코는 친구가 별로 없다. 고등학생 때는 그나마 친구라 부를 만한 아이가 한 명 생겼지만, 대학생이 된 후로는 마지막까지 어느 누구와도 가까워지지 못한 채 중간에 학교를 그만두고 유학을 떠나버렸다. 일을 시작하면서 알게 된 사람들 중 친구라 할 만한 사람은 후지이 도미코뿐이다. 결국 고등학교 때 친구와 후지이 도미코, 그리고 영국에서 룸메이트로 1년을 같이 지낸 애너벨라, 이 세 사람이 루리코에게는 친구 전부였다.

"세 명? 사실, 나도 그런데."

그때 사토시는 그렇게 말했다.

"어쩌면 더 적을지도."

신주쿠의 고층 빌딩에 자리한 이탈리아 식당에서, 사토시는 그렇게 말하며 와인 잔을 들여다보는 듯한 몸짓을 했다. 입구가 넓은 잔에 레드 와인이 담겨 있었다. 사토시가 잔을 돌리자 붉은 빛깔 와인이 둥그렇게 흔들리며 낮은 조명 아래에서 깊은 색조로 빛났다.

"나는 학교 때 줄곧 스키부였고."

사토시는 와인을 응시한 채 말을 이었다.

"술자리나 친목 모임에도 웬만큼 얼굴을 비친 덕에 알고 지내는 사람은 더러 있었지만, 친구라고 할 만한 녀석이 있었는지는 잘 모르겠네."

"외로웠어?"

루리코가 묻자, 사토시는 웃으며 단박에 "아니." 하고 대답했다.

"지금 다니는 회사만 해도, 보통 일본 기업과는 다르게 불필요한 친목을 강요하지 않아서 좋다고 생각할 정도니까."

라는 말도 덧붙였다. 루리코가 사토시에게 호감을 느낀 것은

그때가 처음이었고, 그랬기 때문에 그 후 아야가 처음 만난 자리에서,

"나 같으면 오빠처럼 친구 없는 사람은 절대 안 만날 텐데. 남자들이 인정하는 남자라고 하죠? 역시 그런 사람이어야 한다니까요오."

라고 했을 때도,

"그건 편견이지 싶은데요."

라며 사토시를 옹호하는 듯한 발언을 했다.

"둘이서 꼭 붙어 지낼 수 없다면."

리모컨 버튼을 누르고 루리코는 소리 내어 혼잣말을 한다. 아이도 친구도 필요 없지만, 각자 다른 방에서 비디오와 게임을 상대하는 건 싫었다. 우리 속의 두 마리 고릴라도 성적 쾌락은 나눌 수 있는데.

"두 마리 고릴라만도 못하다면, 역시 솔라닌밖에 없지."

새해는 조용히 찾아왔다. 정월의 도쿄는 날씨가 좋았다. 루리코는 7시에 일어나 작업을 시작했다. 3월에는 소규모 전시회 일정이 잡혀 있다. 〈바람과 녹음, 전원의 베어들〉이라는 타이틀은 도미코가 고안해냈다. 도미코는 루리코가 만드는

테디 베어의 초창기 팬인데,

"의연하고 당당해 보이는 표정이 마음에 들어요."

라고 한다.

"루리코 씨가 만드는 베어들은 어쩐지 루리코 씨 같아."

라는 말도.

루리코와 사토시는 매년 그랬듯 세밑에 이즈에 있는 온천장에서 하루를 묵었다. 사토시 아버지 회사의 보양 시설인데, 매년 할인권이 우송된다. 올해는 29일 저녁에 도착해 이튿날인 30일 정오가 되기 전에 나왔다. 그동안 루리코가 세 번, 사토시가 두 번 온천욕을 했고, 나머지 시간은 줄곧 방에서 지냈다. 사토시는 숙소에 컴퓨터게임기를 가져가 거의 밤새 놀았다. 내내 품절이던 소프트웨어를 간신히 손에 넣었을 무렵이었지 싶다. 루리코는 그 곁에서 책을 읽었다. 같은 공간 안에서라면 각자 다른 일을 해도 마음이 참 편하다고, 온천욕으로 노곤하게 달아오른 다리를 뻗으며 루리코는 생각했다. 보고 싶을 때 볼 수 있고, 만지고 싶을 때 만지러 갈 수 있으니까, 라고.

"잘 잤어?"

전용 핀셋으로 베어 다리에 솜을 채워 넣고 있자니, 사토시가 일어나 거실로 나왔다.

"일하는구나."

사토시는 주변에 어질러진 솜이며 패턴, 가위, 라디오 펜치를 둘러보며 말한다.

"일어났어?"

루리코는 싱긋 웃으며 먼저 그렇게 말하고는, 바닥에 정좌하고 새해 인사를 했다.

"새해를 축하합니다. 올해도 잘 부탁드립니다."

사토시도 똑같이 인사했다.

"커피면 되겠어?"

일어선 루리코는 다시 싱긋 웃고, 부엌으로 가서 평소처럼 아침을 차린다.

"어떻게든 루리코 씨 베어를 꼭 갖고 싶다는 사람이 있는데."

도미코에게 그런 전화가 걸려 온 것은 한 달하고도 보름이 지났을 때였다.

"12월호 크리스마스 케이크 사진 구석에 나온 크림색 베어를 갖고 싶다고요."

"크림색?"

나나였다. 나나는 전시회나 사진 촬영 때 쓰이는 베어로 판매용이 아니다.

"안 되지."

루리코는 가능한 한 무심하게 들리도록 신경 써서 말했다. 나나를 양도하는 일 자체는 문제될 것이 없지만, 예외를 만들기 시작하면 끝이 없다.

"저도 그렇게 말했는데, 작가한테 꼭 좀 물어봐 달라고 해서요."

루리코는 수화기를 쥔 채 고개를 움츠렸다.

"오모테산도에 있는 숍을 가르쳐줘요. 거기에 비슷한 느낌이 나는 아이가 있으니까."

유리창 너머로 완전히 어두워진 바깥을 본다. 길 건너 맞은편에 주인집이 있고, 그 집 마당에 하얀 동백꽃이 피어 있다.

"그렇죠."

도미코가 말했다.

"그럼, 그렇게 할게요."

이런 식으로 특정 베어를 원하는 사람은 드물지 않다. 루리코만 해도 지금까지 몇몇 베어를 그렇게 만났고, 조르다시피 해서 양도받았다.

"미안하다고 전해주고요."

라고 덧붙이고 전화를 끊었다. 판매용 베어는 스태프들이 맡아서 제작하지만 촬영용으로 쓰이는 오리지널은 루리코 혼자 만든다. 그러다 보니 개별적 주문에 응하기란 거의 불가능했다.

"나 왔어."

현관에서 목소리가 들려 시계를 보니 7시 반이었다.

"어서 와요."

루리코는 서둘러 복도로 나간다.

"춥죠? 식사 전에 단술 한잔할래요? 오늘 아침에 만든 그레이 베어야. 당신은 발이 너무 크다고 했지만, 저 정도면 딱 적당하지 싶어. 낮에 있지, 떠돌이 분재 장수가 왔었어. 이바라키에서 왔대. 하나 샀어. 예쁘지? 나나후쿠(七福)라고 한대. 좀 있으면 잎이 빨갛게 변한댔어. 어떨진 모르겠지만."

부엌에는 저녁 식사가 마련되어 있다.

사랑

이 집에서 가장 거북한 장소는 침실이라고, 사토시는 생각한다. 화이트와 블루로 통일된 세 평 남짓한 이 방은 더블침대와 소나무 서랍장 하나로도 이미 충분히 비좁은데, 그 서랍장 위에 베어가 열다섯 개나 놓여 있다. 물론 그 하나하나마다 이름이 붙여져 있다.

사토시는 몸을 뒤척였다. 토요일. 커튼 틈으로 가느다란 햇살이 비쳐 들고, 머리맡 시계는 8시 반을 가리키고 있다. 커피 향이 난다. 루리코는 아침에 무척 일찍 일어난다.

크림색 파자마는 아내가 손수 만들었다. 얇은 플란넬 소재로 따뜻하고 착용감이 정말 좋다. 다만 디자인이 좀 난감하다. 아랫도리가 없는 것이다. 딱 무릎을 가릴 만한 길이의 박스형이랄까, 원피스형이랄까. 한때 영국에서 생활한 아내 말로는 영국에서는 남자들도 이런 모양의 파자마를 가끔 입는다는데, 사토시는 곧이듣지 않았다. 파자마에는 커플 모자도 달려 있지만 그것을 쓰고 잔 적은 없다. 얼간이처럼 보이기 때문이다. 얼간이처럼 혹은 찰스 디킨스 소설의 주인공처럼. 루리코가 만든 베어 중 하나처럼.

"일어났어?"

밝은 목소리와 함께 루리코가 방으로 들어온다. 커튼을 젖히고, 침대 옆에 서서 사토시의 얼굴을 들여다본다.

"달걀은 어떻게 해줄까?"

이미 깨어 있었지만 사토시는 무슨 이유에선지 이제 막 잠에서 깬 양 행동한다.

"날씨 좋네."

조금 앓는 소리를 내며 잠이 덜 깬 목소리로 말했다.

"이제 완연한 봄날이야. 단지 마당에 핀 개나리 봤어? 당신은 아침에 출근할 때 어느 길로 다녀?"

전시회가 성공한 탓도 있어 요즘 루리코는 기분이 좋다.

"왜? 더 자려고?"

의아한 듯한 얼굴로 묻는 아내에게 아니 일어나야지, 라고 대답하면서 사토시는 속으로 바란다. 질문을 하나 했으면 거기에 답하기 전엔 다음 질문으로 넘어가지 말아달라고. 그런 식으로 잇달아 물어오면 대답할 타이밍을 놓치잖냐고. 그 바람에 가령, 달걀을 어떻게 먹기 원하는지에 대한 대답은 이제 할 수 없게 돼버렸잖냐고.

"나갈 거지, 오늘?"

루리코는 서랍장 위에 늘어놓은 베어들의 자리를 바꿔가며 물었다.

"저녁때."

사토시는 옷을 갈아입으면서 대답했다. 대학 스키부 동문회가 반년에 한 번 꼴로 있었다. 한동안 참석하지 못했는데 이번엔 큰맘 먹고 나가보기로 했다. 전화가 왔기 때문이다. 한 달쯤 전이었을 거다. 어딘가의 공중전화에서 세 사람이 안부를 물어왔다.

─그간 잘 지내셨어요?

그 셋 중에 미우라 시호도 있었다.

─이와모토 선배, 이번에도 안 오시는 겁니까?

─이번에 저희가 간사를 맡았거든요.

─뵙고 싶은데.

세 사람이 돌아가며 전화기에 대고 그렇게 말했다.

─바쁘신 줄은 알지만, 괜찮으시면 잠깐 얼굴만이라도 보여주시죠.

정신을 차려보니 어느새 가겠다는 약속을 하고 있었다. 응, 그래, 오랜만에 얼굴이나 내밀어볼까. 귀찮고 성가시단 생각도 들었지만, 한편으론 그립기도 했다. 녀석들을 싫어하는 건 결코 아니라고 사토시는 생각한다.

─다행이다. 전화한 보람이 있네요.

그렇게 말한 사람은 미우라 시호였다.

세 살 아래인 미우라 시호는 사토시가 4학년 때 신입부원으로 들어왔으니, 따지고 보면 같이 활동한 적은 거의 없다. 그래도 여태 기억하는 건 워낙 귀여웠기 때문이다. 그녀는 무척 귀여운 데다 명확히 사토시에게 호감을 가지고 있었다.

당시 사토시는 사귀던 여자가 있었고, 미우라 시호와의 사이에 뭔가가 있었던 것도 아니다. 그렇더라도 사토시는 이성—그것도 아예 관심이 없지는 않은 타입의 이성—의 시선을 눈치채지 못할 만큼 둔하지는 않았고, 생일이나 크리스마스를 빙자해 선물을 건네받는 일이 졸업하고도 1년 정도 계속되었다.

만약 그날 비행기 안에서 루리코를 만나지 않았더라면 시호와의 관계도 달라졌을지 모른다는 것이 사토시의 지극히 솔직한 심정이었다.

"어? 그래서, 달걀은 어떻게 해달랬지?"

침실을 나가면서 루리코가 물었다.

"……뭐든 괜찮아."

"네에."

루리코는 온순히 대답하고 부엌으로 갔다.

루리코는 오늘 아침에도 6시에 일어났다. 정확히 말하면 5시 50분에. 부엌 벽에 달린 라디오를 켜고 FEN의 6시 시보에 이어 뉴스와 음악 프로그램을 듣는 것이 습관이다. 루리코는 습관이 된 일을 하는 것이 좋다. 단순하고 편안하기 때문이다.

베란다 화분에 물을 주고 느긋하게 커피를 내린다. 평일에는 사토시도 7시에는 일어나 나오지만 주말에는 좀 더 늦게까지 자기 때문에, 루리코는 두세 시간을 혼자서 보낸다. 그 시간 동안 다림질을 하거나 책을 읽는가 하면, 냄비를 닦거나 멍하니 창밖을 보기도 하고, 가끔은 의뢰받은 원고를 쓸 때도 있다.

오늘은 다림질을 하면서 비디오를 보았다. 〈연애의 법칙〉이라는 영화였다. 다림질을 마친 뒤에는 비디오를 보면서 그레이프푸르트를 먹고, 그런 다음 담배를 한 대 피웠다. 말보로 라이트다. 담배는 하루에 열 개비 이하라면 피워도 된다고 정해놓았다. 물론 사토시가 일일이 개수를 세진 않는다. 하지만 루리코는 이 약속을 어긴 적이 없다. 약속은 중요하다는 것이 루리코의 평소 생각이다. 특히, 아무려나 좋을 만한 약속일수록.

"아, 수란(달걀을 깨뜨려 수란짜에 담고 끓는 물에 넣어 흰자만 익힌 음식―옮긴이)이다."

세수를 하고 개운한 모습으로 다가온 사토시가 접시 위의 포치드 에그를 보며 말했다.

"잘됐네. 안 그래도 수란이 먹고 싶었는데."

희한한 사람이라고 루리코는 생각한다. 희한해. 그럼 아까

그렇게 말하면 좋았을 것을. 하지만 입 밖에 내어 말하지는 않았다. 그 대신,

"다행이네."

하며 생긋 웃었다. 웃고 나서,

"우리, 마음이 정말 잘 통하나 봐."

라고 덧붙였다.

전시회는 호평을 받았다.

지난주와 지지난주 2주 동안, 미나미아오야마에 있는 작은 화랑에서 신작만 열아홉 점을 선보였다. 판매하기로 한 열 개 작품은 전시 첫 주에 전부 팔렸다.

—루리코 씨의 베어는 정말 하나같이 표정에서 의지가 엿보여요.

도미코는 진지하게 그렇게 말해주었고, 화랑 주인 부부도,

—확실히 독특한 분위기가 있어요.

라고 입을 모았다. 하지만……. 사토시의 컵에 두 잔째 커피를 따르며 루리코는 생각한다. 하지만, 정작 내가 가장 봐주길 원했던 사람은 보러 와주지 않았어.

"요구르트 좀 더 마실래?"

사토시는 신문에 시선을 떨어뜨린 채 그만 됐다고 대답했다.

"과일은?"

"필요 없어."

물론……. 루리코는 자신의 컵—흰 바탕에 푸른 조개껍질 무늬가 들어간 북유럽산 머그잔—에도 커피를 채우고 다시금 생각한다. 물론, 테디 베어도 취미의 하나니까 좋아하는 사람이 있으면 싫어하는 사람도 있기 마련이다. 사토시가 베어에 흥미가 없다는 건 나도 안다. 그렇더라도 베어가 아니라 나에 대한 의리든 애정이든 관심이든 제스처든 뭐로든 간에 한 번쯤은 들여다보러 와주어도 좋지 않은가.

아야는 전시회 첫날 찾아왔다.

—봉제 인형은 왠지 섬뜩해서.

한 바퀴 둘러본 후에 그렇게 말했다.

—하지만 성황이라서 다행이네요.

무릎길이의 슬립 드레스에 감색 스웨터, 그리고 빨간 스타킹. 시누이는 눈에 띄는 차림새였다.

전시회 마지막 날, 어떻게든 나나를 꼭 좀 갖고 싶다는 사람이 찾아왔다. 얼마 전에 전화를 한 사람인 듯싶었다. 남자였다.

—이와모토 루리코 씨 되시나요?

루리코를 보더니 가까이 다가와 그렇게 물었다.

─여기 이 곰을 찾고 있는데.

바지 주머니에서 잡지 오린 것을 꺼내 들고 말했다. 그 모습이 마치 형사 드라마에서 행방불명된 사람을 찾아다니는 형사 같아 루리코는 우스웠다. 남자와 곰 인형이 전혀 어울려 보이지 않았던 것이다.

─오모테산도 매장에도 가봤지만 똑같은 것을 찾지 못해서요.

나나라면 집에 있는걸. 하지만 루리코는 입 밖에 내어 말하지 않았다. 그 대신,

─테디 베어를 좋아하시나요?

라고 물어보았다. 아니라며, 남자는 웃는 얼굴로 고개를 살짝 갸웃했다. 웃으니 홀쭉한 뺨에 또렷이 세로 주름이 잡혔다. 이십대 후반쯤 됐을까, 머리에 밝은색 브리지를 넣은 남자였다.

─그런 건 아니지만.

남자는 엄지손가락에 은색 반지를 끼고 있었다.

─여자 친구가 맘에 든다고, 꼭 갖고 싶다고 해서요.

어렵사리 말을 꺼냈다.

─자상하시네요.

좋아요, 라는 루리코의 시원스러운 대답에 남자는 오히려 놀란 눈치였다.

─괜찮으세요?

─괜찮아요. 그 곰은 나나라고 해요.

어떤 베어가 됐든, 원하는 사람 곁으로 가는 게 가장 좋다고 루리코는 믿고 있다.

오후, 루리코는 벚꽃 리큐어를 재료로 한 과자를 시험 삼아 만들어보았다. 자기 방에 틀어박혀 컴퓨터게임에 몰두하고 있는 눈치인 남편에게 전화를 건다.

"차 마실래요?"

"응? 아, 마실게요."

녹차를 우려 벚꽃 무스와 함께 가져간다. 조용한 토요일.

애초에 루리코는 사토시를 애타게 사랑해서 결혼을 결정했던 게 아니었다. 사토시 쪽이 적극적이었다. 그런데 어느새 이렇게 입장이 뒤바뀌고 말았을까. 휴일에 방문을 걸어 잠그고 들어앉아 혼자 게임을 하다니 꼭 중학생 같다고 루리코는 생각한다. 그래서 진저리 난다고 하자니, 그 중학생 같은 사토시가 없으면 이제 루리코는 아무것도 할 수 없다.

"사랑?"

차 사발에 담긴 녹차를 한 모금 마시고 나서 사토시는 의아하다는 듯 되물었다.

"그래, 사랑."

말하면서 루리코는 고개를 끄덕인다.

"이 집에는 사랑이 부족한 것 같아."

사토시는 짧은 침묵 후에,

"그렇지 않아."

라고 했다. 아무런 근거도, 설득력도 없었다.

"맞아."

루리코 말에 사토시는 난감한 표정을 지었다. TV 화면에는 작은 막대그래프가 여섯 개 떠올라 있다. 가상 세계에서 사토시가 경영하는 가게의 6개 상품 매상고를 비교한 그래프이다.

"그럼 어떻게 하면 되는데?"

사토시의 물음에 루리코는 고개를 흔들며 대답한다.

"나도 몰라."

TV 게임의 경박한 음악이 침묵 속을 나지막이 흘러간다.

둘이 있으면 늘 이렇다고 루리코는 생각한다. 어쩌면 좋을지 몰라 금세 망연자실하고 만다.

"솔직히 말해서, 사랑이 필요한지 어떤지도 잘 모르겠어."

루리코는 표정이 읽히지 않는 얼굴로 말했다.

"단지, 없다는 걸 알고 있을 뿐이야. 어쩌면, 불필요해서 없는지도 모르지."

"이 집에, 사랑이?"

사토시는 바보처럼 되묻고, 루리코는 고개를 끄덕인다.

"당신이랑 있으면 가끔 너무 외롭단 생각이 들어."

사토시는 루리코에게 들리지 않게 마음속으로 한숨을 내쉰다.

"미안해."

그리고 일단 사과했다.

장소는 에비스였다. 선로 바로 옆에 있는 작은 주점으로, 잡초가 돋아난 가게 앞에 간소한 테라스석도 마련되어 있었다.

입구에서 회비를 내고 안면이 있는 사람과 나름의 인사를 나누며 카운터에서 맥주를 받아 들었을 때, 사토시는 이미 여기 온 것을 후회하기 시작했다. 바깥은 아직 저녁 해가 남아 있었지만 가게 안은 어두웠다. 마이클 볼튼의 노래가 흘러나오고 있다.

"이와모토!"

엄청 반갑다는 듯이 다가오는 사람들에게 일일이 웃는 얼굴로 화답하며 근황을 이야기한다.

미우라 시호의 모습을 눈으로 좇고 있는 자신을 깨닫고 사토시는 당황했다. 시호는 여전히 귀여웠지만 조금 과하게 씩씩한 듯한 인상을 풍겼다. 베이지색 스웨이드 재킷에 세트인 듯한 짧은 바지, 타이츠에 부츠 차림 탓인지도 모르지만, 파인애플이 꽂힌 칵테일을 손에 들고 친구와 이야기를 나누는 시호는 쾌활 그 자체로 보였다. 사토시는 조금 덧없어 보이는 타입의 여자가 좋았다.

"오랜만이다. 요즘 바쁘냐?"

언제 왔는지 옆 스툴에 앉아 있던 네모토가 담배에 불을 붙이면서 말했다. 대학 때 네모토와는 가깝게 지냈다.

"아니, 그렇지도 않아."

"네가 하도 얼굴을 안 보여주니까 다들 욕했잖냐. 결혼하자마자 발길을 뚝 끊다니, 계집애 같은 녀석이라고."

"심하군."

사토시는 힘없이 웃었다. 배경음악은 조금 전부터 스팅의 노래로 바뀌고, 〈Fragile〉과 〈Mad about you〉와 〈If you love somebody set them free〉가 흘러나온다.

"와주셨네요?"

바로 옆에서 목소리가 들려 돌아보니 미우라 시호가 서 있었다.

"반가워라."

정말 반가워하는 얼굴이다. 여자는 이렇듯 자기감정을 주저 없이 드러내는 용감한 생물이라는 것을, 사토시는 오랜만에 떠올렸다.

"오랜만이네?"

방금 전까지 네모토가 앉아 있던 스툴을 권하며 말했다.

"취직은 했지?"

시호는 눈을 동그랗게 떴다.

"너무해요. 취직한 지 벌써 3년이나 지났는데. 취직하고 나서 두 번이나 만났잖아요."

천장에는 날개 네 개짜리 선풍기가 느릿느릿 돌아가고 있다.

"저에 대해선 아예 눈곱만큼의 관심도 없는 거죠?"

시호가 화난 표정을 지으며 말했다.

"미안 미안, 입이 열 개라도 할 말 없다."

사토시는 웃으며 사과했다. 오늘은 하루 종일 사과만 한다.

"그래서, 어떤 일을 하는데?"

시호는 생긋 웃더니, 천천히 다리를 어깨너비로 벌리고 서서 버스 여행 가이드처럼 마이크를 입에 대는 시늉을 한다.

"우선, 뛰면 안 됩니다. 뛰면 넘어지거든요. 넘어지면 코피 팡, 아시죠?"

라고 했다.

"그리고 포복으로 전진하지 말 것. 웃으시겠지만, 실제로 있어요, 그런 분이. 장내가 어두운 데다 이런저런 장애물이 많아서, 부딪히면 코피 팡."

시호는 코피 팡, 을 연발한다.

"다섯 발이면 에너지가 다 떨어지니까, 그럴 땐 다시 충전기로 보급해줘야 합니다. 충전기는 장내 세 군데 설치되어 있으니 충전하러 갈 때도 달리지 마시고요. 에너지가 떨어진 사람을 쏴도 득점으로 연결되진 않습니다."

무슨 소린지 통 알아들을 수 없었지만, 사토시는 감탄한 척한다.

"무슨 내레이터 모델 같은 건가?"

"유원지예요."

시호는 말하고 나서, 거의 얼음만 남은 칵테일을 빨대로 홀짝였다.

"유원지?"

루리코는 의아한 눈빛으로 미간에 주름을 지으며, 사토시가 내민 티켓을 손에 쥐었다.

"당신이랑 꼭 한번 놀러 오라던데."

거실에는 천이며 가위, 와이어, 솜 따위가 어지럽게 널려 있다.

"갈 거야?"

루리코가 묻자 사토시는 흥미 없다는 듯, 가도 좋고 안 가도 좋고, 라고 대답했다. 루리코는 유원지에는 별 관심 없었지만 사토시와 함께 외출하는 건 언제든 좋았다.

"나도 다 좋아."

루리코는 티켓을 돌려주며 말했다.

"차 마실래?"

"됐어."

루리코는 테이블 한가득 펼쳐놓은 도구들을 급히 정리하면서 저녁 이후의 일을 보고한다.

"오비히로 어머님한테서 전화 왔었는데, 택배로 또 뭘 보내

셨대. 과자랑 와인. 그리고 오랜만에 베란다에 얼룩 고양이가 왔었어. 왜 있잖아, 그 꼬리 짧은 고양이."

사토시는 2차 모임에는 따라가지 않았다.

마찬가지로 1차 모임에만 참석한 미우라 시호와 함께 지하철을 탔다.

—스키는 타러 안 가세요?

손잡이를 쥔 하얀 손목에 투박한 스와치 시계가 채워져 있었다.

—안 간 지 한참 됐지.

갓 결혼하고 맞이한 겨울에 루리코와 둘이 다녀온 게 마지막이었다.

—봄 스키 안 가실래요? 네모토 선배들이랑 계획 잡았는데.

스키는 물론 좋아했다. 일주일이 멀다 하고 스키장을 찾고도 봄이 오면 못내 성에 안 차 울적해졌다. 밥 먹는 것도 잊고 스키를 탔다. 숙소에 들어와서까지 자세를 연구하기도 했다.

—난 사양할게.

왜 그렇게 대답했는지 모르겠다. 단순히 귀찮았는지도 모르고, 언젠가 루리코가 했던 말 때문인지도 모른다. 만약 당신이 바람을 피운다면 난 그 자리에서 당신을 찔러 죽일 거야. 그 말은 사토시의 심장 안쪽에 들러붙어 있다. 얇디얇은 피막이 되어 들러붙은 채 심장박동을 더디게 만든다.

　사랑이 필요한지 어떤지도 잘 모르겠어.

　낮에 루리코는 그렇게 말했다. 필요한지 어떤지도 모르겠다니, 대체 그게 무슨 의미일까.

　—부인은 어떤 분이세요?

　지하철 안에서 시호가 물었다.

　—어떤 사람이냐면…… 글쎄.

　늘 느끼는 거지만, 이런 질문에는 어떻게 답해야 할지 사토시는 정말 모르겠다.

　—제법 미인이랄까.

　농담처럼 넘기려 했는데 뜻대로 되지 않았다. 시호가 진지한 얼굴로,

　—그건 저도 알아요.

라고 말했기 때문이다.

　—결혼 피로연 뒤풀이 때 불러주셨잖아요.

　—아, 그랬지.

　시호는 천장을 올려다보며 한숨을 토했다.

　—정말 싫다. 나 진짜 존재감이 없나 봐.

그렇지 않다고 말했지만 되돌리기엔 늦어버렸다.

—부인께선 댁에서 일하시죠?

시호는 질문의 끈을 늦추지 않았다.

—부부 싸움 같은 것도 하세요?

사토시는 루리코와 한 번도 다툰 적이 없었다. 그렇게 말하자 시호는 놀란 얼굴을 했다.

—한 번도요? 그거 진짜 흔치 않은 일일 텐데. 금실이 좋으시네요.

—금실이 좋다고 해야 하나.

사토시는 애매하게 웃고 나서 덧붙였다.

—그 사람은 현실감이 희박하거든. 뭘 해도 화를 내지 않아.

유리창 속 시호의 표정이 단박에 흥미가 당긴다는 듯 움직였다.

—뭘 해도 화를 내지 않아요?

—사귀는 남자는 없고?

알고 싶어서라기보다 화제를 돌리기 위해 사토시는 물었다.

—없어요.

시호는 딱 잘라 대답했다. 유난히 단호한 대답이었다고, 집에 돌아오고 나서 사토시가 생각할 만큼.

이 집에는 사랑이 부족하다.

그건 예를 들면, 시호만 한 나이나 상황에 있는 여자가 할 말 아닌가. 사토시는 그런 생각을 한다. 테이블 위의 미처 치워지지 않은 검정 단추—곰의 눈이 될 것이겠지—를 멍하니 바라보면서.

"흐음."

테이블 맞은편에서 루리코가 말했다.

"그게 다야?"

단추가 눈에 해당한다는 것을 알고 나서부터는 아내가 이렇게 한 번씩 단추를 흘릴 때마다 흠칫 놀라고 만다. 정말로 한쪽 눈이 떨어진 것만 같아서.

"그게 다냐?"

"유원지에서 일하는 여자 후배에게 티켓을 받고, 네모토 씨랑 맥주를 마시면서 잠깐 이야기하고, 누군가 합숙 때 사진을 가져왔다, 그게 다야?"

"응, 그게 다야."

사토시는 말하고 나서, 목욕을 하기 위해 옷을 벗었다.

"욕실로 과일 가져갈까?"

"아니, 됐어."

아예 거실에서부터 옷을 다 벗게 된 것은 결혼하고 난 이후
부터다. 욕실이 비좁은 탓이다.

　루리코의 라디오에서 11시를 알리는 시보가 흘러나온다.
목욕을 마치고 나면 사토시는 부드러운 파자마를 입을 것이
다. 부드럽고 청결한 파자마다. 그리고 화이트와 블루로 통일
된, 베어들이 기다리는 침실에서 잠을 잔다.

굶주림

비가 계속 내렸다.

루리코는 비가 싫지는 않았다. 다른 두 방에 비해 유난히 넓은, 혼자 있기엔 좀 지나치게 휑하다고 늘 생각하는 거실에서 창밖을 바라보며 녹차를 홀짝인다. 비 오는 날, 녹차의 푸른빛은 부드럽고 맑고 깨끗하다.

오전 11시, 루리코는 오랜만에 국제전화를 걸었다.

"여긴 비 오는데, 거기도 비?"

느닷없는 말에 상대는 순간 멈칫하고,

"루리코?"

하며 가벼운 놀라움과 친근함이 깃든 정겨운 목소리로 대답했다.

"그래, 나야."

버밍엄은 지금 새벽 2시. 애너벨라는 늘 밤중에 일을 한다. 루리코는 좁지만 마음 편한, 애너벨라의 아파트를 떠올렸다. 몇 년 전 여름에 놀러 가 닷새 동안 묵었던 아파트.

"반가워라. 사람 놀라게 하기는. 잘 지내?"

예전 룸메이트가 물었다.

"응, 잘 지내."

평균 잡아 반년에 한 번, 루리코는 애너벨라에게 전화를 건다. 용건도 없이 문득 생각나서.

"일은 잘돼가?"

애너벨라의 목소리는 낮고 차분해서 듣기 좋다.

"응."

"아직 결혼 생활 중이야?"

"그런 것 같아."

루리코의 대답에 수화기 너머 친구가 웃었다.

애너벨라는 루리코보다 두 살 많은 독신주의자이다. 오래 사귄 남자 친구는 있지만 결혼도 동거도 하지 않기로 정해놓았다. 애너벨라는 '보태니컬 아티스트'라고, 식물 그림만 그리는 화가인데, 루리코는 그녀가 그리는 섬세한 수채화, 그중에서도 장미 그림을 좋아했다.

"여기로 돌아올 계획은 없어?"

루리코가 영국에 머무른 것은 단기간이었는데도 애너벨라는 '돌아온다'는 말을 사용했다.

"네 아들이 외로워 해."

아들이란 루리코가 선물한 베어 '조조'다.

"안부 전해줘. 조만간 보러 갈게."

유학 시절, 남자에게 통 관심을 보이지 않는 루리코를, 애너벨라는 처음에 동성애자로 생각한 모양이다. 결국 오해는 풀렸지만, 그전까지는 루리코를 경계했다고 나중에 가르쳐주었다. 본인이 주장하길, 동성애자에게 끌리기 쉬운 타입이란다.

"비가 얼마나 오는데?"

애너벨라가 물었다.

"그리 많이 오진 않는데, 쉽게 그칠 것 같지 않아."

"그래?"

아주 잠깐 침묵이 흘렀다.

"오랜만에 목소리 들어서 좋았어."

"나야말로."

사토시와 결혼하기 이전의 루리코를 잘 알면서 지금의 루리코를 알지 못하는 사람과 대화를 나누면 마음이 차분해진다. 이것은 루리코가 결혼하고 나서 발견한 것 중 하나이다.

비는 여전히 내리고 있었지만, 바깥 공기가 통화하기 전보다 밝아진 듯한 기분이 들었다.

사토시는 비가 딱 질색이었다. 성가시다는 생각부터 든다. 통근 전철 안의 눅눅하고 탁한 공기도, 남의 우산이 다리에 닿아 바지가 젖는 것도 불쾌했다.

"드세요."

여직원의 목소리가 들리고 책상에 찻잔이 놓인다.

"고마워."

사토시는 싱긋 웃으며 대답했지만 그다지 당기지는 않았다. 사토시 생각에, 루리코는 확실히 차를 맛있게 탄다. 전통차든 홍차든 커피든 루리코가 끓여내면 언제나 맛이 좋았다.

미우라 시호는 그날 이후 가끔 회사로 전화를 건다. 한번은 퇴근길에 만날 약속을 하고 오뎅집으로 갔다. 편식하는 편인 루리코와 달리 시호는 뭐든 잘 먹고 잘 마셨다. 게다가 잘 떠들었다.

―그 아이, 미아 주제에 얼마나 활발한지, 제 아빠가 찾으러 올 때까지 고카트를 타고 싶다나 뭐라나. 아무리 기다려도 아빠는 안 오지, 완전 보모가 따로 없었다니까요.

그렇게 말하며 웃고는 작은 잔에 든 황금색 맥주를 비웠다.

―고된 일을 하는구나.

사토시는 시호의 옆얼굴을 보며 감탄해 보였다. 실제로 감탄했다. 자신은 도저히 못 해낼 일이었다.

사토시는 현재 정보 시스템을 이용한 자동차보험 계약 처리 업무를 담당하고 있다. 딱히 재미있을 건 없지만, 그리 힘든 일도 아니다.

―오늘 저 만나는 거, 부인도 아세요?

시호가 물었다.

―웅? 아아, 웅. 아까 전화했거든.

―뭐야아.

짐짓 못마땅하다는 듯 말하는 시호의 옆얼굴을, 사토시는 웃으면서 바라보았다. 카운터 너머로는 갖가지 오뎅이 훈김을 피워 올리고 있었다.

뭐든 혼자 할 수 있을 줄 알았다.

루리코는 말보로 라이트에 불을 붙이고 연기를 토해내면서 미간을 찌푸렸다.

어릴 때부터 독립심이 왕성했고, 여자아이들끼리 늘 붙어 다니는 것을 무척이나 바보 같다고 여겼다. 대학을 중퇴할 때도 망설임은 없었고, 영국에서 1년간 살면서도 모든 일을 혼자 처리했다.

남자에게 목매는 것은 싫었다. 사토시도 루리코가 자신만 바라보고 사는 것은 원치 않는 것처럼 보였고, 실제로 한지붕 아래 살게 된 후에도 방에 혼자 있는 것을 좋아했다. 딱 좋은 조합이었다.

그랬는데, 대체 언제부터 이렇게 되어버렸는지.

루리코는 하루 몇 차례 사토시 휴대전화로 전화를 건다. 회사에 있는 동안 사토시는 휴대전화 전원을 꺼두지만, 메시지를 남겨놓으면 몇 분 후에 다시 전화를 준다. 메시지는 간단한 문장들뿐이다.

루리코예요. 전화 줘요.

라든지,

　루리코예요. 날씨 좋네.

라든지.

　목소리가 듣고 싶은 거다. 어떻게든.

　"설마, 매일 그래요?"

　언제였던가, 현장을 목격한 후지이 도미코가 놀랍다는 듯 물었다.

　"그래서, 사토시 씨가 매번 다시 전화해주나요?"

　루리코가 그렇다고 하자, 도미코는 반쯤 어이없다는 얼굴로 쓴웃음을 지었다.

　"그거, 사랑이네요."

　그때 느꼈던 위화감을 루리코는 지금까지도 또렷이 떠올릴 수 있다. 물론 그것이 사랑 같은 게 아니라는 것을 루리코는 알고 있었다. 전화를 걸고 마는 것도, 금세 다시 걸어오는 것도.

　그 증거로, 루리코는 사토시의 목소리를 들어도 행복해지지 않았다. 반가움조차 일지 않았다.

　하지만 그런 기분을 도미코에게 설명하기란 불가능할 것

같았다. 사랑이 아니라면 무엇인지, 왜 전화를 걸고야 마는지, 자기 자신에게조차 설명할 수 없기 때문이다.

지난주, 사토시가 감기에 걸렸다.

열은 그다지 높지 않았는데 설사가 심해 이틀쯤 회사를 쉬었다. 그동안 루리코는 간호사 역할을 훌륭히 해냈다. 체온을 재고 약을 먹이고, 파자마를 갈아입히고 죽을 만들어 먹이고, 병원에 같이 가주었다.

사토시가 다시 회사로 출근한 날, 루리코는 갑자기 찾아온 무료함을 달랠 길이 없었다. 하루만 더 쉬면 좋을 텐데, 하고 생각했다. 이틀이든 사흘이든 나흘이든, 차라리 회사를 그만둬 버려도 좋았으련만, 하고.

루리코는 미간을 찌푸리며 담배 연기를 가늘고 길게 토해낸다. 창문을 때리는 투명한 빗방울이 유리 위 여기저기를 선이 되어 흘러내린다.

좀처럼 없는 일이지만 사토시는 오늘 밤 혼자 외식을 하게 되었다. 루리코는 고객과 식사를 하는 모양이다. 무척 괜찮아 보이는 사람이고 파트너랑 같이 온다는데 사토시도 올래? 라고 질문처럼 권했다. 낯선 사람과 마주 앉아 식사하는 것부터

가 질색이고 아내 일에는 관여하고 싶지 않아서 거절했다. 마침 남은 일도 좀 있었다.

처음엔 시호를 불러낼까 생각했지만, 귀찮기도 하고 번거로울 것 같아 결국 요시노야(일본의 덮밥 체인점—옮긴이)에서 대충 때우기로 했다. 비가 주룩주룩 내리고 있었다.

요시노야는 오랜만이었다. 통근 전철 안에서처럼 워크맨으로 음악을 들으며 밥을 먹었다. 손님 대부분이 혼자였고 잡지에 눈길을 떨어뜨린 채 식사를 했다. 달걀이 딸린 보통 450엔짜리를 특별가 350엔에 먹을 수 있었다.

가게를 나서자 초여름 밤공기가 촉촉하니 차갑고, 전신주도 길 위에 주차한 차량도 자전거도, 가로등과 달빛 아래 기분 좋은 듯 자리하고 있었다.

루리코는 벌써 집에 돌아와 있었다.

유리창에 비친 불빛으로 알 수 있었기에 사토시는 현관 벨을 울렸다.

"어서 와요."

문이 열리고, 루리코가 얼굴을 내민다.

"일찍 왔네. 밥은 먹었어?"

"응."

사토시는 대답하며 구두를 벗는다.

"뭘 먹었는데?"

"소고기 덮밥."

옷을 갈아입고 손을 씻고 입을 헹구는 사토시 옆에서 루리코는 평소처럼 하루 일과를 보고한다.

"쓰가와 씨 여자 친구도 같이 만났어. 예쁜 사람이었어. 까맣고 긴 머리에, 프랑스어 학교에 다닌대. 나보다 나이는 어린데 사람이 무척 어른스럽더라."

"흐음."

누구 이야기를 하는지 알 수 없었지만, 사토시는 루리코 말에 일단 맞장구를 쳤다.

"요금이 올랐더라, 신다마가와선. 오랜만에 탔다가 깜짝 놀랐지 뭐야. 왜, 버스 정류장 옆에 하얗고 큰 집 있잖아. 그 집 마당에 개 있는 거 알아? 크고 얌전한 개. 언제부턴지 내가 지나가면 그 개가 대문 앞까지 나오는 거야."

"그래?"

타월로 입가를 닦고 세면실 불을 끈다.

"쓰가와 씨, 손이 참 잘생겼어. 억세고 동물적인 느낌. 엄지 손가락에 은색 반지를 꼈더라."

침실 옷장에서 청바지와 남방을 꺼내 입는 동안에도 루리코는 곁에서 뭔가 말을 했다.

"그래서, 어떻게 됐어? 회식은."

사토시가 묻자 루리코는 단박에 입을 다물고는 놀란 듯이 말했다.

"전혀 안 들었구나. 아까부터 내내 그 이야기 했는데."

밤중에도 비는 그치지 않았다.

외출을 꺼리는 것은 어제오늘 시작된 일이 아니다. 루리코는 옛날부터 사람들이 붐비는 곳을 싫어했다.

다만 결혼하면서부터 확실히 달라진 것이 있었다. 아까처럼 누군가와 즐겁게 식사를 하다 말고 갑자기 집에 가고 싶다는 생각이 드는 거다. 집에. 사토시가 있는 장소에.

─숍에 계신 분에게도 후지이 씨에게도 딱 잘라 거절당한 터라 그때는 정말 깜짝 놀랐습니다. 너무 선뜻 양도해주셔서.

쓰가와 하루오가 이야기했다. 옆에서는 긴 머리 여자가 조용히 미소 지으며 쓰가와의 이야기를 듣고 있다.

─아주 단순한 의미에서 운명이란 것을 믿거든요.

루리코가 말했다.

—인간에게도 베어에게도, 각자 나름의 운명이 있다고 보니까요.

쓰가와를 만나는 건 이번이 세 번째다. 첫 번째는 루리코의 베어 전시회장에서, 두 번째는 집 근처 비디오 대여점에서 마주쳤다.

—이와모토 루리코 씨 맞죠?

그때, 루리코는 눈앞에 서 있는 남자가 누구인지 전혀 기억해내지 못했다.

—아, 저, 쓰가와입니다. 지난번에 봉제 인형, 아, 나나 양을 양도받았던.

—아아.

루리코는 웃었다.

—나나는 잘 지내나요?

—예?

남자는 순간 놀란 얼굴을 하고,

—아, 네, 아마도.

라며 애매하게 웃었다. 루리코 주변에서야 예사로 오가는 질문이지만, 이 남자에게는 이상하게 들릴 수도 있다는 것을 깨닫고 루리코는 입을 다물었다.

—댁이 여기서 가깝나요?

쓰가와라고 이름을 댄 야윈 남자가 물었다.

—네, 걸어서 15분 정도.

—아, 그럼 이 근처네요.

쓰가와는 말하고, 루리코 손에 들린 비디오테이프 다섯 개에 눈길을 주었다.

—그거 전부 빌려 가시게요?

—네.

루리코는 대답하면서 쓰가와의 손을 보고는, 저도 모르게 웃음을 터뜨렸다. 남자는 테이프를 일곱 개 들고 있었다.

쓰가와가 근처에 맛있는 횟집이 있다는 말을 꺼낸 것은 그때였다. 괜찮으시면 다음에 꼭 한번 모시고 싶은데. 곰 인형을 주신 것에 대한 감사 표시로 대접하고 싶습니다. 제 여자친구도 뵙고 싶어 할 테고.

쓰가와는 그 여자 친구를 위해 나나를 사 간 것이다.

쓰가와 하루오의 식사 초대는 적극적인 것과는 느낌이 조금 달랐다. 열과 성을 다한다는 것과도. 단순히, 말이 글자 그대로의 의미를 지니고 있는 그런 느낌이었다.

—네, 꼭 불러주세요.

그렇게 대답했을 때, 루리코는 이 약속이 그냥 지나가는 말로 하는 인사나 사교성 멘트가 아닌 제대로 된 약속이라는 것을 확실히 알았다.

그것은 루리코가 좋아하는 유의 화법, 적어도 무척 안심이 되는 화법이었다.

비디오테이프 일곱 개는 학습용이라고 했다. 쓰가와는 4년간 근무한 회사를 작년에 그만두고, 번역가를 꿈꾸며 공부 중이란다. 주로 밤에 움직인다고도 했다.

— 영화 오프닝 타이틀이 흐르고, 잠깐 음악이 끊기면서 하얀 화면에 쓰가와 하루오라는 이름이 뜨는 게 꿈이에요. 왜 있잖아요, 외화 번역가 도다 나쓰코나 기하라 히로시 같은.

그렇게 말하며 웃었다.

세상에는 참 여러 부류의 사람이 있구나, 하고 루리코는 감탄했다. 서른 살이 다 되어 번역가를 꿈꾸는 남자도, 연인을 위해 봉제 인형을 찾아다니는 남자도, 딱 두 번 만났을 뿐인 테디 베어 작가를 식사에 초대하는 남자도, 루리코는 난생처음이었다.

식사하는 내내 루리코는 쓰가와의 손에서 눈을 떼기가 힘들었다.

방에서 음악을 들으며 게임을 하고 있자니 루리코의 목소리가 들려왔다.

"잠그지 말라니까. 문 좀 열어봐."

사토시는 황급히 방문을 열었다.

"노크를 몇 번이나 했는데."

"미안, 못 들었어."

"CD 볼륨을 좀 낮추지 그래? 게임에서도 이상한 음악이 나오는데."

루리코는 표정이 읽히지 않는 얼굴로 말하며 방으로 들어섰다.

"여기 좀 있어도 돼?"

"나야 상관없지만."

왜 그러느냐며 눈으로 묻는 사토시를 눈치 못 챈 척, 루리코는 사토시 옆에 딱 붙어 앉았다.

"하던 거 어서 계속해."

사토시의 손끝, 게임 컨트롤러 버튼에 시선을 주며 말한다. 사토시는 내심 마음이 편치 않았지만 어쩔 수 없이 게임을 계속하기 시작했다.

루리코는 얌전히 앉아 있다.

사토시가 지금 열중하고 있는 것은 가상 축구팀을 능숙하게 경영하면서 선수도 육성하는 게임이다. 사토시 팀은 항상 1위 다툼에 나서고, 자산도 80억 엔이 넘는 호조를 보이고 있었다.

"다리 아프지 않아?"

사토시가 묻자 루리코는 짧게 대답했다.

"괜찮아."

두 사람 다 맨 마룻바닥에 앉아 있었다. 15분쯤 지났을 무렵, 사토시는 불편한 마음을 더는 이겨낼 수 없게 되었다.

"저기, 왜 여기 있는 거야?"

움직이던 손을 멈추고―화면에는 하프타임을 맞아 작전 회의를 하는 모습이 비치고, 열한 명의 선수들은 단조로운 배경 음악에 맞춰 폴짝폴짝 뛰어오르는 참이다―아내의 얼굴을 보며 물었다.

"방해돼?"

"그런 건 아니지만."

"곁에 있고 싶었어."

루리코는 묘하게 담박하게 대답하고서 일어서더니,

"일하고 올게."

라 말하고는 거실로 돌아갔다.

"그냥 여기 있어줘도 괜찮은데."

방문이 완전히 닫힌 후, 사토시는 조그맣게 혼잣말을 했다. 지붕을 때리는 빗소리가 들린다.

7월 첫째 주 수요일, 느닷없이 아야가 찾아왔다.

"여기, 선물."

그렇게 말하며 플라스틱 케이스에 담긴 방울벌레를 내밀었다.

"우는 소리가 예쁘거든요오."

벌레는 질색이었지만 루리코는 고맙단 말과 함께 받아 들었다.

아야는 여전히 나풀나풀한 속옷 같은 옷을 입고 있다. 드러난 팔다리가 몹시 가늘고 무방비해 보였다.

"뭐 마실래요?"

"민트티."

"따뜻한 거?"

"응, 따뜻한 거요."

루리코는 따끈한 민트티를 준비했다.

"오빠는 잘 지내요?"

아야는 작업대 대신으로도 쓰는 커다란 원목 다이닝 테이블에 턱을 받치고 부엌에 있는 루리코를 보며 물었다.

"사이좋게 지내고 있어요오?"

남향 창으로 쏟아져 들어오는 오후 2시의 햇살이 집 안을 수조처럼 조용히 채운다.

"걱정 안 해도 돼요."

그렇게 대답한 루리코는 등 뒤에 달라붙은 시선 끝에서 시누이가 희미하게 웃고 있는 듯한 기분이 들었다.

"아야 아가씨는? 잘 지냈어요?"

"뭐, 그렇죠오."

아야는 테이블에 찰싹 엎드렸다.

"조용하네요, 여기."

얼굴을 들고, 뭘 했느냐고 묻는다.

"딱히 아무것도. 그냥, 멍하니 있었어요."

루리코는 창밖을 보며 대답하고, 민트티를 마셨다.

굶주림.

문득 깨달았다. 사랑이 아니라 굶주림이다. 회사에 있는 남편에게 전화를 하는 것도, 게임을 하는 남편 옆에 붙어 앉아 있는 것도.

깨닫고 보니 정말 온전히 납득이 간다. 무슨 영문인지는 몰라도, 나는 사토시에게 굶주려 있다. 기아 상태. 그 생각은 루리코에게 크나큰 놀라움을 안겨주었다.

"아무것도?"

아야는 순간 미심쩍은 듯한 표정을 지었고, 두 사람 다 잠시 침묵했다.

"산책 가요."

아야는 제안이라기보다 결정에 가까운 투로 말했다.

"날씨도 좋은데."

"그러게요."

귀찮고 성가셨지만 하는 수 없이 루리코도 자리에서 일어났다. 달걀이 떨어진 게 생각나, 나간 김에 사 오면 되겠다 싶었다.

"아, 그 방울벌레 말인데요."

아야가 현관에서 신발을 신으며 말한다. 거실에 비하면 현관은 놀랍도록 어둡고 썰렁하다.

"잠시라도 눈을 떼면 자기들끼리 서로 잡아먹어 버리니까 신경 써서 봐야 해요, 알았죠오?"

현관문을 여니 바깥은 신록이 눈부셨다.

"여름이 오나 봐요."

기분 좋은 듯 하늘을 올려다보며 아야가 말했다.

방울벌레

저녁 설거지를 마치고서 줄곧 방울벌레를 관찰하던 루리코가, 천천히 일어나 곁에 와서는 말없이 손을 잡았을 때, 사토시는 솔직히 조금 겁이 났다.

"왜? 무슨 일 있어?"

루리코를 올려다보는 눈이 이미 떨리고 있었으리라. 루리코는 사토시를 내려다보며 물었다.

"왜 무서워하고 그래?"

물었으면서 대답을 기다리지 않고 말한다.

"일어나."

자신을 바라보는 아내의 표정을 사토시는 가끔 이해하지 못한다.

"왜?"

다시 한 번 물으면서 하는 수 없이 마지못해 일어섰다.

"안아줘."

루리코 말에 사토시는 정면으로 바싹 붙어 섰다. 루리코는 뻣뻣하게 서 있는 사토시에게 재촉하듯 다시 한 번 말한다.

"안아줘."

사토시는 시키는 대로 팔을 둘렀다. 품 안에서 루리코가 눈을 감는 것이 느껴졌다.

"됐다고 할 때까지 그대로 있어."

안는다기보다 팔로 에워싸는 듯한 모양새였다. 좀 지나자 루리코가 조그맣게 숨을 내쉬고,

"고마워."

하면서 몸을 뗀다. 사토시는 다시 앉아 읽다 만 게임 공략집에 집중했다.

"차 마실래?"

루리코 말에 됐어, 하고 무뚝뚝하게 대답한다. 루리코는 자기 몫의 차만 끓여 창가 의자에 앉았다. 감색과 붉은색 체크무늬 천을 씌운 의자다.

"나, 이런 창이 참 좋아."

멍하니 밖을 내다보면서 루리코가 말했다.

"창밖은 밤이라서 캄캄한데 안쪽은 이렇게 밝고 안전하고."

사토시는 책에서 눈을 떼지 않고 응, 하고 대답한다. 그 대답 따위는 들리지 않았다는 듯, 루리코는 혼자서 말을 잇는다.

"낮에도 그래. 바깥은 머리가 어질어질할 정도로 덥고 눈부신데도 유리창 안쪽은 시원하고 쾌적하거든."

사토시는 그건 유리창이 아니라 냉방 때문 아닌가 생각했지만 입 밖에 내어 말하진 않았다.

"아야 아가씨, 왜 방울벌레 같은 걸 줬을까."

루리코는 의자 위에서 무릎을 감싸 안은 채 녹차를 홀짝이며 말한다. 방울벌레는 지난 주말 아야가 가져온 모양이다.

"글쎄. 하지만 딱히 이유 같은 건 없을 거야. 그냥 선물 아닐까."

루리코는 사토시의 그 말에는 대꾸하지 않았다. 거실 구석에 놓인 방울벌레 케이스를 가만히 바라보며, 생각에 잠긴 듯한 얼굴이다.

"그런데 서로 잡아먹는다잖아. 잠시라도 눈을 떼면 자기들끼리 서로 잡아먹는데. 하지만 그렇다고 해서 24시간 내내 지켜볼 수는 없잖아?"

"응."

사토시는 어쩔 수 없이 동의했지만 그 말조차 루리코 귀에는 들어가지 않았는지 같은 말을 되풀이했다.

"아야 아가씨, 왜 이런 걸 줬을까."

시계는 9시 20분을 가리키고 있다. 저녁 식사를 마치고 바로 방에 들어가 버리면 아내가 언짢아하기 때문에 설거지가 끝나고 15분 정도는 거실에 있으려고 신경 쓰고 있다. 오늘은 벌써 20분이나 지났다.

컴퓨터 책상, 오디오 선반, 바퀴 달린 작은 책장, 붙박이장, 총각 때부터 사용한 줄무늬 커튼. 이웃집에 폐가 되지 않을 정도로 CD 볼륨을 올리고 소리에 감싸인다.

이 방에 있으면 마음이 정말 차분해진다. 그건 루리코와는 상관없는 일이고, 사토시 자신도 어쩔 수 없는 일이었다. 루리코는 신경이 지나치게 예민한 것 같다.

질투만 해도 그렇다. 사토시는 게임 스위치를 켜고 컨트롤러를 쥐고서 생각한다. 이전에는 자신에 대한 애정의 일종이라 여겼던 루리코의 질투가, 최근 들어 서서히 갑갑하게 느껴지기 시작했다.

예를 들면 회사에서 집으로 전화를 걸 때. 회사에서 전화를 걸어 오늘 늦을 거야, 라는 말을 꺼내는 순간 생기는 침묵에는 백 마디 말보다 더한 것이 담겨 있다고 사토시는 생각한다. 늦을 거야. 그렇게 말하면 루리코는 우선 침묵하고, 이윽고 알았다고 말한다. 희한하게도, 늦는 이유는 아무러나 상관없는 모양이었다. 잔업이든 술자리든 데이트든.

—질투는 꼭 여자한테만 하는 게 아니야.

라고 아내는 말한다.

—난 당신 회사에도 책상에도, 상사에게도 동료에게도, 술집에서 우연히 옆에 앉은 여자에게도 질투를 느껴.

라고.

—피곤한 일이네요.

어젯밤, 그 이야기를 하자 미우라 시호는 말했다.

—난 잘 모르겠어요, 그런 거.

가볍게 식사를 하고, 카운터 바에서 한잔 마시고 있을 때였다. 어깨 길이로 가지런히 자른 생머리 너머로 하얗고 천진난만한 옆얼굴이 보였다.

─하지만 그건 뭐든지 다 곧이곧대로 말하는 선배 탓 아닌가요?

시호의 화사한 손가락이 술잔 테두리를 덧그렸다.

─그 일례로, 지금 우리가 여기 같이 있는 것도 알잖아요, 부인이.

어떻게 그럴 수 있느냐며 고개를 젖히는 시호의 귀여운 코가 천장을 향했다.

─아니, 만나는 장소까지는 몰라, 아무리 그래도.

하나 마나 한 말이라는 건 사토시 자신도 잘 알았다.

시호 말이 옳은지도 모른다고 사토시는 생각한다. 누가 만나자고 했는지, 어떤 잔업이 있는지, 그런 것까지 일일이 다 보고할 필요는 없을 것이다. 그러나 정말 바보 같게도 사토시는 루리코에게 뭐든 다 털어놓지 않고는 못 배겼다.

사토시가 거실을 나가버리자 루리코는 의자 위에 홀로 남겨졌다. 무릎을 감싸 안고 온 신경을 귀에 집중한 채 멀어지는 사토시의 발소리를 듣는다. 방문이 열리고 다시 닫히는 소리. 사토시 방은 현관 바로 옆에 있고, 복도 끝에 위치한 거실과는 거리가 있다.

음악이 들린다. 조급한 느낌. 펫숍보이스임을 알았다.

왠지 비디오를 볼 기분도 나지 않아, 루리코는 유리창에 비친 자신의 얼굴을 멍하니 바라본다.

어젯밤, 처음으로 사토시에게 말하지 않고 넘어간 게 있다.

딱히 숨길 만한 일은 아니라고 생각했지만, 어쨌든 말하지 않았다.

쓰가와 하루오에게 키스를 당했다.

너무 갑작스러운 일이었고 거의 불가항력이었다고 루리코는 생각한다. 짧고 거친 키스였다.

쓰가와와는 비디오 대여점에서 우연히 만났다. 그런 일이 봄 이후 대여섯 번 있었다. 각자 원하는 비디오테이프를 다고르길 기다렸다가 잠시 산책을 했다. 둘 다 직장에 다니지 않아 낮 시간에는 비교적 자유롭다.

여름 저녁이었다.

―줄곧, 이러고 싶었어요.

키스를 하고, 쓰가와 하루오는 그렇게 말했다. 주눅 드는 기색 하나 없이 웃는 얼굴로.

루리코는 양쪽 눈썹을 추켜올려 보였다. 무슨 짓이야? 그런 말이 담긴 제스처였다. 그러나 정작 루리코 입에서 나온 말은 전혀 다른 것이었다. 게다가 웬일인지 목소리까지 작고 고분고분했다.

─줄곧?

쓰가와는 고개를 끄덕이고 대답했다.

─전시회장에서 처음 봤을 때부터 줄곧.

쓰가와는 루리코를 집 앞까지 바래다주었다. 둘 다 아무 말 없었지만 어색한 느낌은 들지 않았다. 오히려 평온하고 마음 편한, 오랜만에 맛보는 해방감이었다고 루리코는 생각한다.

신기하게도 루리코는, 이것이 자신과 쓰가와만의 지극히 개인적인 일에 불과하다는 것을 알았다. 사토시와도, 까맣고 긴 머리를 한 쓰가와의 여자 친구와도 아무 상관 없는, 이곳만의 일.

맨션 입구에서 쓰가와는 메모지에 무언가를 써넣더니 찢어서 루리코에게 내밀었다.

─다음에 남편분이랑 한번 오세요. 제가 대접하겠습니다.

메모지에는 쓰가와가 일하는 요리 주점의 약도와 전화번호가 적혀 있었다.

―고마워요.

루리코는 생긋 웃으며 말했다. 방금 전 일 따위, 마치 아무 것도 아니었다는 듯.

루리코는 의자에서 일어나 사토시 휴대전화에 전화를 걸었다. 차를 마시고 싶다거나 과일이 먹고 싶다거나 뭔가 용건이 있으면 불러달라고 말해두고서, 이번에는 국제전화를 걸었다.

버밍엄은 지금 오후 1시다.

"루리코?"

애너벨라는 지난달보다 한층 더 놀란 목소리였다.

"틀림없이 아주 안 좋은 일이 생기겠구나."

그녀 특유의 담담한 어조다. 듣기 좋은 낮은 목소리.

"안 좋은 일?"

루리코가 되물었다.

"그래. 전에도 그랬잖아. 네가 나한테 자주 전화하고 나서 무슨 일이 일어났는지 기억해?"

아니, 하고 대답했다. 전화기를 쥔 채 창가 의자로 돌아온다.

"무슨 일이 일어났는데?"

"너, 결혼해버렸어."

루리코는 아주 조금 웃었다.

"그래, 기억난다."

뭘 하던 중이었냐고 루리코는 물었다.

"좀 전에 일어나서 차 한잔하고 있었어. 오늘은 여기가 비야."

루리코는 애너벨라의 방, 가운, 큼지막한 머그잔, 책상에 장식된 말린 꽃이며 꽃병, 창밖의 비를 떠올렸다. 침묵이 흐른다.

"남편에게 말 못한 비밀이 있어."

수화기 너머에서 친구가 몰래 미소 짓는 것이 느껴졌다.

"That's Normal(흔히 있는 일이야)."

"Yeah, I know(그렇겠지)."라고 대답했다. 다시 짧은 침묵이 흐르고, 애너벨라가 물었다.

"어떤 종류의 비밀인데?"

"아주 사소한 일."

루리코가 대답하자 애너벨라는 웃고, 이번에는 그녀가 말했다.

"Yeah, I know(그렇겠지)."

귀를 기울이자 그녀의 목소리 뒤로 버밍엄의 가느다란 빗소리가 들려오는 것만 같았다.

도쿄는 이튿날도 쾌청했다. 아침부터 무척 덥다. 루리코는 여느 때처럼 5시 50분에 일어나 부엌의 라디오를 켜고 FEN 뉴스와 음악 프로그램을 들었다. 화분에 물을 주고 커피를 마신 후 사토시를 깨우고 아침상을 차렸다.

"잘 잤어?"

일어나 나온 사토시가 말하자, 루리코는 사토시의 얼굴을 보지 않고 대꾸한다.

"일어났어?"

얼굴을 보지 않고 인사하는 것은 루리코에게는 아주 어려운 일이었다.

―왜 아침 인사를 해주지 않는 거야?

결혼 초, 루리코가 그렇게 물은 적이 있다. 아침 인사뿐 아니라 잘 자란 인사, 다녀왔다는 인사, 잘 다녀오란 인사 모두 루리코에게는 지극히 당연한 일이었다. 사토시는 그중 어느 하나도 입 밖으로 말한 적이 없었던 것이다.

―안 하면 안 되나.

사토시는 난감한 듯 물었다. 겨울이었고, 두 사람은 후타고 타마가와의 어느 찻집에 있었다. 루리코 딴에는 사토시가 인사말을 잘 못하는 것이 아버지 밑에서 자란 것과 무슨 관련이 있나 싶어 미심쩍었던 기억이 난다.

　─안 돼.

　루리코가 딱 잘라 말하자 사토시는 한순간 슬픈 듯한 표정을 했고, 그때 하마터면 됐어 됐어, 안 해도 돼, 라고 말할 뻔했다고 루리코는 생각한다. 사토시의 슬퍼하는 듯한 얼굴에는 정말 힘이 있다, 라고.

　─알았어.

　사토시는 그렇게 말했다. 알았어, 노력할게, 라고.

　확실히 그날 이후 사토시는 노력해주었다. 노력한다는 게 루리코 눈에 보일 만큼, 사토시는 매번 힘겹게 그 말들을 입에 올렸다. 그리고,

　─당신이 빤히 보고 있으면 말이 잘 안 나와.

라고 하기에 루리코는 애써 얼굴을 보지 않으려는 것이다.

　"오늘은 가게에 나가보기로 했어."

　얇은 토스트에 스크램블드에그, 밀크티에 복숭아를 담아 나르면서 루리코가 말했다.

　"그래? 오랜만이네?"

　사토시는 그렇게 대꾸하고 덧붙였다.

　"더운데 몸조심하고."

"괜찮아. 그래도 고마워."

아직 7시 반밖에 안 됐는데 햇살이 강하다는 것을 확실히 알겠다. 루리코는 유리창 너머로 밖을 보며, 정말 더울 것 같다고 생각했다.

통근 전철 안은 혼잡하고 불쾌했지만 사토시에게 그리 심한 고통은 아니었다. 이어폰으로 음악을 듣다 보면 40분은 금세 지나갔고, 주변이 온통 낯선 사람들뿐이라는 것도 마음 편했다. 어려서부터 아버지와 둘이 살면서 혼자 지내는 시간이 많았던 탓인지, 사토시는 다른 사람과―아는 사람과―함께 있으면 거북해지는 구석이 있었다.

그런 점에서 여동생 아야는 정반대여서, "혼자라니, 쓸쓸해서 도저히 못 견뎌."라는데, 사토시는 그게 이해되지 않는다. 틀림없이 아야는 사교적인 어머니의 영향을 받은 것이리라.

2년 전에 돌아가신 아버지는 어딘가 남다른 데가 있는 사람이었다. 대형 무역 회사에 근무했던 아버지는 줄곧 홀로 도쿄에 부임해 살았다. 그 후 독립해 수입 회사를 차리고 나서도 도쿄에서 혼자 지내다가, 말년에는 물품 구매 명목으로 주구장창 여행만 다녔다. 30년 결혼 생활 동안 아내와 함께 산

기간은 결국 6년밖에 되지 않았다.

ㅡ어머님, 외롭지 않으셨을까.

시아버지 장례를 마친 후, 루리코는 그런 말을 했다. 오비히로 집 부엌에서 아야와 셋이 커피를 마시던 중이었다. 사람들이 먹고 남긴 초밥 도시락 통이 여기저기 쌓여 있었다.

ㅡ진작 애정이 식은 거 아니었을까?

아는 척 입을 뗀 아야를 사토시는 노려보았다.

ㅡ그렇지는 않을 거예요.

애매하게 수습하려 한 루리코에게 아야는,

ㅡ하긴, 떨어져 살면서 오히려 사이가 좋아지는 남녀도 있겠죠.

라고 말했다.

상복치고는 길이가 너무 짧은ㅡ사토시 생각엔 그랬다ㅡ검정 원피스를 입고, 먹색 톤으로 화장한 눈이 묘하게 도드라져 보였던 아야.

ㅡ나야 그런 건 싫지만.

이라고 덧붙이고서 길고 가느다란 담배에 불을 붙였다. 어찌된 일인지 사토시 주변 여자들은 죄 담배를 피운다. 어머니도 여동생도 그리고 아내도.

―맞아요. 나부터도 무리일 것 같아요, 그렇게 오랫동안 사토시와 떨어져 지내는 건.

아야와 루리코는 그런 말을 주고받으며 의견 일치를 보았지만, 사토시 생각은 조금 달랐다. 알 듯한 기분이 들었던 것이다. 떨어져 살면서 사이가 좋아지는 남녀라는 것도.

오비히로 집의 부엌에서는 오래되고 묘한, 정겨운 냄새가 났다. 여기저기 마룻장이 삐거덕거리고, 열어놓은 창문의 방충망 너머로 마당에 매어놓은 개가 내는 소리―쇠사슬이 땅바닥을 스치는 소리―도 났다. 식탁 위 전구 불빛을 받아 찬장 유리문에 세 사람의 옆얼굴이 비쳤다.

하지만 애당초……. 사토시는 지하철 환승 통로를 걸으며 생각한다. 줄줄이 하나의 흐름을 형성해가는 사람들의 뒷모습.

하지만 애당초, 혼자인 게 편하고 다른 사람과 일정한 거리를 두는 것도 쾌적함을 위한 필수 요소라 여기는 듯한 면이야말로 사토시와 루리코의 공통점이라 할 수 있었다.

친구란 건 지나치게 과대평가되어 있다. 언제였던가, 아직 두 사람이 만난 지 얼마 되지 않았을 무렵, 처음으로 의견이 일치되었던 화제였다. 예를 들면, 신혼여행 때 찾았던 발리 섬의 코티지식 호텔 넓은 침대에서,

―나는 누군가에게 이렇게 마음을 여는 성격이 아닌데.
라고 말하는 루리코의 불안한 듯한 눈빛은 사토시를 무척 흥분시켰다.

　발차를 알리는 벨이 울려 퍼지고 혼잡한 전철 문이 닫힌다.

　됐어, 다음 차를 타자.

　사토시는 플랫폼에 서서 떠나는 전철을 지켜보았다. 워크맨의 이어폰에서는 심플리 레드의 노래가 흘러나온다.

　한낮의 오모테산도는 더위로 공기가 흔들거리는 것처럼 보였다. 루리코는 빌딩 지하에 있는 베어숍에 들렀다가 가게 일을 맡고 있는 여자―루리코보다 몇 살 어리고, 통통하고 쾌활한 느낌의―와 카페에서 차를 마셨다. 여름철에는 베어 매출이 신통치 않다. 그래도 그녀는,

　"타월 소재 베이비 베어가 잘 나가요."
라며 긍정적인 말을 했다. 아이스티의 얼음을 빨대로 휘저으면서.

　"그러고 보니 그 손님, 그날 이후 가끔 오세요."

　야외 테라스가 자랑인 이 카페도 워낙 덥다 보니 냉방이 되는 실내에 손님들이 몰려 있었다.

"그 손님?"

"네, 전에 나나를 조르던."

루리코는 가슴이 철렁했으나, 아무렇지 않다는 듯한 얼굴로 "아, 그 사람." 하고 말했다.

"네. 그날 이후로 몇 번인가 오셨는데, 요전에는 B시리즈를 하나 사 갔어요."

B시리즈란 단단하고 팔다리가 길고 얼굴이 작은 검정 곰 시리즈로, 숍에 있는 베어들 중 루리코가 가장 마음에 들어하는 녀석들이다. 몸통도 검고 눈동자도 검고, 코와 입의 봉제선도 검고, 발바닥 펠트도 검고, 목에는 검정 리본을 두르고 있다.

"어떤 크기?"

중간 거요, 라고 젊은 점장은 대답했다.

"어서 와요."

귀가한 사토시를 여느 때처럼 루리코가 현관에서 맞이했다. 침실까지 따라 들어와서는 옷을 갈아입는 사토시 곁에서 하루 동안의 일을 보고한다.

"오전에 별난 외판원이 왔었어. 자기 말로는 세일즈가 아니라 어디까지나 상품 소개라는데."

"세일즈야."

"응, 아마도. 그런데 그 상품이라는 게 음식물 쓰레기 처리
긴데, 일주일 무료 사용이 가능하다는 거야."

"세일즈야."

사토시는 같은 말을 되풀이했다. 티셔츠와 청바지로 갈아
입고 세면대에서 손을 씻는다.

"안다니까. 나도 안 들여놨어. 세탁기처럼 생긴 게 크기는
또 얼마나 큰지. 그런 게 부엌에 있으면 거치적거려서 안 돼."

타월을 건네주면서 루리코는 이야기를 계속한다.

"오후에 가게에 다녀왔어. 손님은 별로 없었지만. 1층 카페
에서 맛있는 거 마셨어. 뭐라던가 하는 리치 리큐어인데, 소
다를 타서 마시니까 무척 개운하고 맛있더라."

라거나,

"쓰가와 씨 말야, 그 후에 또 다른 베어를 사 갔대."

라거나,

"그러고 보니 일하는 가게에 한번 놀러오라고 했는데. 다음
에 같이 가자."

라거나. 그때마다 사토시는 맞장구를 친다. 오호, 라든지, 그

래? 라든지. 대답하지 않으면 아내가 화를 내기 때문이다. 뭔가 대꾸가 있어야 내 말을 들었는지 아닌지 알 수 있잖아, 라면서.

거실로 가니 저녁상이 차려져 있었다. 하지만 테이블보다 먼저 사토시의 주의를 끄는 것이 있었다.

"어떻게 된 거야, 그거?"

놀라서 묻자 루리코는 당연히 할 일을 했다는 듯 말한다.

"나눴어."

방울벌레가 담긴 플라스틱 케이스가 다섯 개로 늘어나 있었다. 각 케이스마다 모래와 물, 오이, 가지 따위가 세팅되어 있다.

"따로 떨어뜨려 놓으면 서로 잡아먹는 일은 없겠지?"

사토시는 말이 나오지 않았다.

"밥 곧 되니까 앉아 있어."

부엌으로 간 아내가 말한다.

"오늘 있지, 샐러드드레싱을 바꿔봤어. 지난번에 도미코 씨가 가르쳐준 건데."

사토시가 맞장구를 칠 때까지 몇 초간 공백이 생겼다.

열정

가을은 루리코가 좋아하는 계절이다. 창유리 너머 햇살이 하루오의 머리카락에 와 닿고, 루리코는 그 모습을 예쁘다 생각하며 바라보았다. 비록 좁긴 해도 하루오의 방은 해가 참 잘 든다. 여기에 온 것은 오늘이 두 번째. 하루오는 널어놓은 빨래도, 어질러놓은 잡지며 비디오테이프도 전혀 개의치 않는 양 익숙한 손놀림으로 커피를 타주었다.

"이제 그만둬야 할 것 같아, 이런 일."

루리코는 시트가 흐트러진 싱글 침대를 보며 말했다.

"왜요?"

정말 모르겠다는 듯, 하루오는 의아하단 기색으로 물었다. 루리코는 웃었다.

"태평한 척하지 마."

루리코는 하루오가 어른스러운 어린애 같다고 생각한다. 그건 흡사 사토시가 어린애 같은 어른인 것과 대조적이다.

큼직한 찻잔에 따른 진하고 뜨겁고 쓴 커피를 홀짝인다.

"불안하단 말이야."

하루오는 재밌다는 듯한 얼굴을 했다.

"나도 불안해요."

루리코는 다시 한 번 웃었다.

"그러네."

그렇다면 어쩌다 이렇게 됐을까, 하고 생각한다. 나는 왜 여기에 와 있는 걸까.

오후 2시. 주택가 한복판에 자리한 하루오의 아파트는 창문을 열어놓아도 무척 조용하다.

"루리코 씨는 그만두지 못해."

그렇게 말하고, 하루오는 루리코 뒤로 돌아가 쭈그려 앉는다.

"이런 일을 그만두지 못해요."

등 뒤에서 팔을 두르고 귓가에 속삭였다.

"왜 그렇게 생각하는데?"

워드프로세서 옆에 검정 곰 인형이 나뒹군다. 작은 얼굴에 팔다리가 긴, 단단한 곰이다. 가게에서 'B시리즈'로 불리는 그 곰에게 하루오가 '앙투안'이라는 이름을 붙여주었다는 것을 루리코는 알고 있다. 하루오가 가장 좋아하는 영화 주인공 이름을 따왔다.

"탐욕스러우니까."

하루오 말에 루리코는 순간 당혹스러웠다.

"왜 그렇게 생각하는데?"

다시 한 번 묻자, 하루오는 주눅 드는 기색 없이 왜냐면, 하며 고개를 갸우뚱한다.

"아마 나도 탐욕스럽기 때문 아닐까. 그래서 아는 건지도 몰라요."

이번에는 루리코가 고개를 갸우뚱한다.

"탐욕이란 어떤 걸까."

—좋은 방이네.

처음 이곳에 온 날, 루리코는 그렇게 말했다. 그날도 하루오는 커피를 타주었다.

—뭐야, 그게?

TV 화면 한쪽에 박스 테이프가 붙어 있는 것을 보고 묻자, 하루오는 빌려 온 비디오테이프의 자막을 가리기 위한 것이라고 대답했다. 하루오는 번역가를 꿈꾼다.

—먼저 씻을래요?

욕실 문을 열고 그렇게 말하는 하루오의 자연스러운 몸짓과 웃는 얼굴에 루리코는 호감을 느꼈다.

"날씨 좋네."

하루오가 창밖을 보며 창유리 너머 햇살에 눈을 가늘게 뜬다. 루리코도 따라서 창밖을 보고, 마찬가지로 눈을 가늘게 뜬다.

"그만 가봐야겠다."

툭하니 말했다. 루리코는 이 방이 편안했다.

"아, 잠깐 기다려요. 나도 이제 나갈 거니까."

말을 마친 하루오는 그 자리에서 트레이닝팬츠를 벗고 청바지로 갈아입었다. 브리프에 감싸인 작은 엉덩이와 힘줄이

불거진 마르고 긴 다리. 루리코는 커피 잔을 쥔 채 그 모습을 물끄러미 바라보았다.

"가게에 또 와요."

자전거를 끌며 역까지 바래다주면서 하루오는 말했다.

"다음번엔 남편분과 함께라도."

가게란 하루오가 일하는 요리 주점이다. 시부야에 있는 그 곳까지 하루오는 자전거로 오간다.

"사토시는 외식을 싫어해."

그래요? 하고 하루오는 말했다.

"왜지? 재미없네."

한 달쯤 전, 루리코는 후지이 도미코와 함께 그 가게를 찾 았다. 엘리베이터로 3층에 올라가면 있는 작은 가게였다. 하 루오는 신발을 정리하고 맥주잔을 나르고, 계산을 하고, 돌아 가는 손님을 위해 엘리베이터 버튼을 눌러주며 온갖 일을 맡 아 하고 있었다.

루리코와 도미코는 카운터석에 앉아 소고기 뱃살과 다진 오크라를 먹었다.

―저 사람, 루리코 씨만 보고 있어요.

도미코의 말이 아니더라도 루리코는 이미 눈치채고 있었

고, 무엇보다 루리코가 그 가게에 들어섰을 때 이미 하루오와 루리코 사이에는 암묵의 이해가 생겨나 있었다.

"그날은 도미코한테 좀 미안한 짓을 한 것 같아."

루리코 말에 하루오는 고개를 갸우뚱했다.

"왜요?"

신호등 앞에서 멈춰 선다. 넓은 교차로. 횡단보도를 건너면 지하철역 입구가 나온다.

"도미코만 모르는 일이 있었잖아. 우리 사이의 공기랄까."

루리코는 거기서 일단 말을 끊었다. 어딘가에서 패스트푸드 냄새가 난다.

"어쩐지 그녀만 따돌리는 것 같고."

아, 하며 하루오는 싱긋 웃었다.

"나 그런 거 되게 좋아하는데. 선수 친다고 해야 하나? 다른 사람 모르게 앞서서 일 꾸미는 그런 거, 무지 좋아해요."

루리코는 웃었다. 하마터면 "나도." 하고 말할 뻔했다. 도미코에게 미안한 짓을 했다는 기분이 든 것도 사실인데.

"또 볼 수 있죠?"

말하지 않아도 하루오는 알고 있으려니 싶었다. 선수 치기 좋아하는 것도 탐욕과 관계가 있는 걸까.

"응, 아마도."

한 손을 들어 보이고, 루리코는 역 계단을 내려간다.

사토시는 하루하루 해가 짧아지는 이 계절이 싫었다. 지하철만 갈아타며 통근하는 탓에 밖으로 나왔을 때 갑자기 밤이 되어 있으면 불쾌한 것이다. 라면집 불빛이며 환하게 불을 밝히고 달리는 버스, 슈퍼마켓에서 분주히―하얀 비닐봉지를 들고―나오는 직장 여성. 역에서 집까지 걷는 동안 드는, 어쩐지 서글픈 생활감도 싫었다.

"나 왔어."

현관문을 열자 여느 때와 다름없이 루리코가 나와 맞아주었다.

"어서 와요."

라디오 펜치를 쥐고 있다.

"일하는 중이었어?"

그렇다고 대답하며 루리코는 침실까지 꼭 붙어 따라온다. 하루 동안의 일을 보고하기 위해.

"지금 강아지를 만드는 중이야. 곰 가족이 키우는 강아지. 눈 안쪽 철사를 우그러뜨리던 참이었어."

그래? 하고 사토시는 대꾸를 한다. 워크맨을 끄고, 옷을 갈아입고, 세수를 하고 입을 헹군다. 어느 하나만 빼먹어도 루리코에게 한 소리 듣기 때문이다.

"강아지, 제법 인기 있어. 예약 대기 중인 손님이 늘 있거든."

저녁상에는 사토시가 좋아하는 동아찜이 올라와 있었다.

"오늘 있지, 애너벨라한테서 그림엽서가 왔어."

보라며 건네준 엽서에는 항구도시 사진이 실려 있었다. 우체국 소인은 카뉴쉬르메르(Cagnes-Sur-Mer)라 찍혀 있다.

"휴가 내서 프랑스에 가 있대."

"그래?"

루리코는 사토시가 저녁을 먹는 내내 옆에 앉아 이야기를 한다. 라디오 펜치로 철사를 우그러뜨리면서.

"지난번에 도미코가 그러는데, '하치미츠 프렌즈' 사람들한테선 여전히 베어용 양복을 만들어달라는 요청이 들어온대. 나야 베어에게 옷을 입히는 마음이 이해 안 되지만."

'하치미츠 프렌즈'라는 건 루리코가 만드는 곰 인형의 팬클럽인 듯싶다. 클럽 소식지도 발행하고, 가끔 루리코 사진이 실리기도 한다.

"응."

대꾸한 사토시는 자신도 뭔가 말해야 할 것 같았지만 할 만한 이야기가 하나도 없어 잠자코 있었다. 회사에 갔다가 퇴근해 다시 회사에서 돌아오는, 그게 전부인 하루.

"잘 먹었습니다."

가만 보니 루리코도 말이 없었다. 창가에 놓아둔 곰이 붉은색과 감색 체크무늬 의자에 앉아 사토시를 보고 있다.

"방에 가고 싶어?"

루리코가 물었다.

"게임하고 싶지? 가도 괜찮아."

고맙다는 말과 함께 일어서 버린 사토시는 괜한 말을 했다 싶었지만, 다시 주워 담을 수도 없는 노릇이었다.

방에 들어가 문을 잠그고, CD를 틀고, 메일을 확인한다. 그런 다음 TV를 켜고 잠시 잡지를 읽으며 시간을 보냈다.

휴대전화가 울렸다.

"차 마실래요?"

루리코가 물었다.

"네, 부탁해요."

하고 대답했다.

창문을 열자 벌레 소리가 났다. 싸늘한 공기가 방 안으로 흘러 들어온다.

노크 소리가 들려 바로 방문을 열었는데, 아무래도 첫 노크가 아니었던 모양이다.

"왜 TV랑 CD를 같이 틀어두는데?"

사토시는 생각한다. 왜 TV와 CD를 같이 틀어두면 안 되지?

루리코는 힘이 약해 노크 소리도 너무 작다.

차 사발에 담긴 호지차 옆에 흑설탕으로 만든 카스텔라가 한 조각 곁들여져 있었다.

"여기 좀 있어도 돼?"

루리코 말에 사토시는 그래, 라고 대답한다.

"거실에서 쿠션 가져다줄까?"

루리코가 맨바닥에 앉아 있는 것이 마음 쓰여 물었다. 루리코는 고개를 옆으로 흔들고는 느닷없이 물었다.

"있지, 당신이 보기에 내가 탐욕스러운 것 같아?"

사토시는 속으로 한숨을 내쉰다. 또 시작이군. 루리코는 가끔 뜬금없는 소리를 한다.

"아니."

우선 부정했다.

"정말?"

"응."

하고 다시 한 번 고개를 끄덕인다. 루리코는 사토시의 얼굴을 집어삼킬 듯 바라보고는 말했다.

"그거 다행이네."

애너벨라의 연인과 몇 번 잔 적이 있다. 루리코에게 그건 그리 어려운 일은 아니었다. 남자란, 좋아하게 될 거라 생각하면 언제든 그렇게 되기 마련이다. 누구에게나 좋은 면은 있고, 그건 그 사람만의 장점이므로.

애너벨라의 연인은, 체격이 크다는 점이 우선 루리코 마음에 들었다. 외국인인 루리코를 위해 되도록 또박또박 발음하려고 노력해주는 점이며, 그렇다 해도 내용은 절대 생략하지 않고 연극 감상 따위를 웬만한 평론가 못지않게 장황히—한 병에 2파운드 하는 레드 와인을 한 손에 들고 심야까지 유쾌한 양—이야기하는 점도.

더는 애너벨라를 속일 수 없다며 진실을 전부 털어놓겠다는 그 남자를 말린 것은 루리코였다. 우선 그 진실이라는 것이 무엇인지 몰랐고, 루리코가 보기에 애너벨라와 그는 느낌이 좋은 커플이었기에 헤어지는 것을 원치 않았다. 남자와 잠자리를 하지 않는 것 또한 잠자리를 하는 것과 마찬가지로 루리코에게는 그리 어려운 일이 아니었다.

루리코와 그 남자의 정사—무려 한 달이나 계속되었을까—를 애너벨라가 눈치챘는지 어쨌는지, 루리코는 알지 못한다. 눈치챘을지도 모르지만 애너벨라는 루리코에게도 연인에게도 그런 티를 내지 않았다.

10월. 봄에 열릴 전시회 협의를 위해 도미코가 찾아왔을 때 루리코는 사과를 조리고 있었다.

"좋은 냄새."

도미코가 코를 벌름거렸다.

이번 전시회 타이틀은 〈월영(月影)의 베어들〉로 정했다. 그레이나 연보라, 진한 가지색 같은 담담한 색조의, 고독한 표정을 지닌 곰들만 모아서 선보일 예정이다.

"멋져요."

도미코는 감탄한 듯 말하고 홍차를 홀짝였다.

"루리코 씨 베어에는 하나하나 고독한 그림자가 어려 있다고 전부터 생각했거든요."

루리코는 그게 어떤 건지 잘 모르겠다. 그야 베어는 하나하나 천애 고독한 몸이니 고독한 그림자가 어리는 것이 당연하다고 루리코는 생각한다.

"사과초밥 가져갈래요?"

우와, 하고 도미코는 어린애처럼 좋아한다.

"월영의 베어들?"

하루오가 침대 시트를 허리까지 끌어 올리며 물었다.

"괜찮을 것 같네요. 미야코한테 알려줘야지."

오후 2시. 영화는 아직 끝나지 않았다. 박스 테이프를 붙인 TV에서 대사만 들려온다.

루리코는 이렇게 하루오의 품 안에 있는 것이 좋았다. 여전히 잔뜩 어질러진 방, 열어놓은 창문, 나뒹구는 앙투안.

"지난번이랑 같은 화랑?"

맞아, 라고 대답하고 루리코는 눈을 감는다. 하루오의 심장 뛰는 소리가 들린다.

"작년과 같은 장소에서, 3월 3일부터 19일까지."

이러고 있으면 거역할 수 없는 편안함이 느껴진다고 루리코는 생각한다. 이대로 잠들어버리면 얼마나 좋을까.

물론 실제로는 그렇게 할 수 없다. 루리코는 침대 밖으로 한쪽 팔을 내밀어 곁에 떨어져 있는 손가방에서 담뱃갑을 꺼냈다. 담배를 한 개비 입에 물고 불을 붙였다.

연기를 깊이 들이마시고 천천히 토해낸다.

"좋다."

하루오가 깍지 낀 손으로 머리 밑을 받친다.

"담배 피울 때 루리코 씨 얼굴, 좋아."

옷을 주워 몸에 걸친다.

"You know what I miss? I miss the idea of him(내가 뭘 그리워하는지 알아? 그저 누군가와 함께 있었단 느낌이야)."

루리코는 비디오 대사에 맞춰 말했다.

"대단한데. 기억해요?"

"딱히 대단할 것까지는 없어. 여러 번 본 영화인걸. 비디오의 좋은 점은 마음에 드는 걸 몇 번이고 다시 볼 수 있다는 거. 그렇게 생각 안 해?"

하루오는 아주 살짝 고개를 갸웃하고 눈부신 듯 실눈을 뜬다. 루리코가 좋아하는 얼굴이다.

"생각 안 해요."

하면서 양손을 내민다.

"안 돼, 이미 옷도 다 입었는걸."

하루오는 못마땅한 듯 입꼬리를 내렸다. 그러곤 표정이 읽히지 않는 목소리로 말했다.

"스토리는 딱 한 번뿐이라서 아름다운 거예요. 우리 인생처럼."

토요일, 사토시가 눈을 떴을 때 루리코는 이미 옆에 없었다. 아마 거실에서 라디오를 들으며 작업 중이리라. 신작 전시회를 앞두고 아내는 평소보다 많이 일한다.

어제 저녁, 회사로 아야가 찾아왔다. 처음 있는 일이어서 놀랐다.

—회사 방문.

장난처럼 그런 말을 했다. 아야는 지금 대학교 4학년이지만 졸업해도 취직할 마음은 없는 눈치다. 대학에 남을지도 모르겠다는 말을 한다. 성적은 뛰어나게 좋다. 팡팡 놀기만 하는 주제에.

저녁을 사달라고 하는 아야는 보라색 진을 입고 있었다.

전화로 사정을 이야기하자 루리코는 한 박자 뜸을 들이고 나서, 그래, 라고 했다. 그래, 천천히 먹고 와, 아야 아가씨한테 안부 전해주고, 라고.

도중에 아야가 전화를 바꿨다.

—여보세요? 새언니? 진짜 나 맞아요오. 걱정 마요오.

그런 말을 했다. 아야는 한쪽 팔에 거의 서른 개씩, 쥐색 고무 팔찌를 차고 있었다. 어쩐지 수갑처럼 보였다. 회사 분위기가 비교적 자유롭긴 해도, 아야는 회사 안에서 심하게 눈에 띄었다.

—방울벌레는 어때?

회사 밖으로 나오자 아야는 그렇게 물었다.

—죽었어. 전멸. 그때마다 루리코가 화분에 묻어줬어.

—흐음.

아야는 고개를 끄덕이고 나서 툭하니,

—정말 자연사일까.

라는 말을 뱉어 사토시를 놀라게 했다.

—무슨 뜻이야?

아무것도 아냐, 라고 말한 아야는 혼잣말처럼,

—하지만 새언니, 비상식적인 일을 저지를 것만 같거든.

하고 덧붙였다.

—방울벌레들끼리 서로 잡아먹는다는 얘기에 몹시 겁을 냈어. 서로 잡아먹게 놔둘 바에야 차라리 자기 손으로 죽여버릴

것 같은 얼굴이던걸.

사토시는 어이없다는 표정을 지었다. 그리고 루리코가 취한 동족상잔 방지책에 대해 이야기했다. 어느 날 갑자기 늘어나 있던 벌레 상자.

아야는 깔깔깔 웃었다. 그리고 결론을 내렸다.

―역시 새언니는 비상식적이야.

회사 근처에서 닭고기 전골을 쑤석였다. 아야는 한동안 못 본 새 술이 무척 세진 것 같았다. 주면 주는 대로 다 받아 마실 기세였다.

―하지만 오늘은 새언니 이야기를 하려고 온 게 아니야아.

허기가 가시자 그렇게 말했다.

―오빠, 미우라 선배랑 사귀는 거야?

그런 소문이 있어, 하며 작은 컵으로 맥주를 마신다.

―무슨 소리야, 그게.

놀란 것은 허를 찔린 탓이라고, 사토시는 스스로에게 변명하듯 생각하며 터무니없는 이야기라고 일축했다.

―흐음.

아야는 어쩐지 재미있다는 듯 치뜬 눈으로 사토시를 보았다.

―나야 별 상관없지마안.

아야는 사토시와 같은 대학, 같은 스키부 소속이다. 미우라 시호와는 다섯 살 차이가 난다.

—OB 모임에서 만난 후로 가끔 식사도 같이하고, 술도 마시고, 그렇지?

그런 쓸데없는 이야기를 하러 왔냐? 하며, 사토시는 여동생에게 쓴웃음을 지어 보였다.

—어지간히 한가한가 보구나.

—흐음.

뭐가 흐음인지 모르겠지만 아야는 다시 한 번 그러고는 소주를 마시고 싶다며 물로 희석한 소주를 두 잔 마셨다.

화이트와 블루로 통일된 침실에서 사토시는 몸을 뒤척인다. 서랍장 위에 놓인 오래된 곰 열다섯 개. 거의가 앤티크로 한 개에 몇 만 엔씩 한단다.

—어쨌든 조심해.

JR 승강장에서 헤어지기 전에 아야는 말했다.

—바람도 요령 있게 피워야 하는 거야. 새언니 무서워 보이거든.

사토시는 고개를 움츠려 보였다.

—그럴 만한 열정도 없다.

때마침 전철이 들어왔기에 마지막 그 말은 아야에게 닿지 않았는지도 모른다.

오후, 루리코는 사토시와 산책을 나가 맨션 근처를 걸었다. 공기에서 금목서 향이 났다.

"나, 토요일이 참 좋아."

사토시는 산책을 그다지 좋아하지는 않지만, 하루 종일 드러누워 뭉그적거리다간 아내에게 좋은 소리 못 듣는다는 것을 알고 있었다.

"우리 버스 정류장 옆에 있는 그 집에 가볼까?"

루리코가 말했다. 버스 정류장 옆, 희고 큰 집 마당에 개가 한 마리 있다. 루리코는 그 개에게 멋대로 빙고라는 이름을 지어 붙이고 귀여워한다.

"어제 아야 아가씨가 뭐래?"

걸으면서 루리코가 물었다.

"그냥. 벗겨먹으려고 온 거지."

농담조로 대답했는데 루리코가 이해하지 못해, 순간 사토시는 뻘쭘해졌다.

"그 녀석도 내년에 졸업인데 괜찮으려나. 만날 팡팡 노는 것 같아서."

루리코는 대답하지 않았다. 사토시는 내친김에 혼자 떠들었다.

"보라색 진을 입고 왔더라."

라든지.

"제법 마시던데? 건방지게."

라든지.

루리코는 흐음, 하고 반응했을 뿐이다.

왜지? 하고 사토시는 생각한다. 루리코와 함께 있다 보면 뭐든 다 말하지 않으면 안 될 것 같은 기분이 든다. 뭐든지 다, 솔직하게, 거짓 없이.

루리코가 걸음을 딱 멈춘다.

"없나 봐."

날씨 좋은 오후다.

"응?"

"빙고 말이야."

희고 큰 집 마당에 개는 보이지 않고, 텅 빈 개집만이 조용히 가을 햇살을 받고 있다.

비밀

가게 안 난방이 너무 세서인지 차가운 맥주가 유난히 맛있었다. 여기저기 할 것 없이 송년회로 시끌벅적한 술집. 사토 시도 스키부 OB 송년 모임에 참석한 참이었다.

에스닉한 분위기를 내세운 이 가게는 실내가 어두운 데다 사향인지 재스민인지 아로마인지 모를, 여하튼 색다른 향내가 자욱하고, 마늘과 고춧가루를 잔뜩 사용한 요리 냄새에 숨이 턱턱 막혔다.

많은 인원이 모이는 것이 싫지는 않았다. 한 명 한 명 상대해야 하는 비중이 그만큼 줄어드니 오히려 마음 편하다고 사토시는 생각한다. 하지만 한편으론 누구와도 제대로 된 이야기를 나누지 못하는 것 또한 사실이었다. 그래서 결국 전과 다름없이 후배들의 개인기며 원샷하는 모습을 바라보는가 하면 이 자리에 참 안 어울린다 싶을 만큼 중년 냄새 물씬 나는 선배와 내키지도 않는 명함 교환 따위를 하고 있었다.

"어? 회사가 니혼바시에 있어?"

배가 많이 나온 선배의 물음에 사토시는 네에, 하고 대답한다.

"가깝네. 난 오오테마치거든. 다음에 한잔하자."

누가? 하는 생각은 물론 티 나지 않도록, 사토시는 싱긋 웃으며 말했다.

"네, 꼭 하죠."

"이와모토 선배, 여기 계셨어요?"

목소리의 주인공은 미우라 시호였다. 검은 원피스를 입었다.

"내내 찾았잖아요."

제일 넓은 방을 빌렸지만 워낙 인원이 많다 보니 혼잡하기

이를 데 없었다. 그럼 또 보자, 하고 배불뚝이 선배는 요리가 차려진 테이블 쪽으로 걸어간다.

"죄송해요, 제가 방해했나요?"

"아니, 마침 지루하던 참이었거든."

접수를 마치자마자 시호부터 찾았다는 건 말하지 않았다.

"네모토 선배는요?"

"글쎄. 아까 저기 어디 있었는데."

"아, 선배 뭐 좀 드실래요?"

시호는 묻고 나서, 사토시의 대답도 기다리지 않고 요리를 가져왔다.

"드세요."

하며 생긋 미소 짓는다.

루리코는 베어 머리 세 개 각각에 코와 입을 꿰매 붙이는 중이었다. 차콜그레이와 초콜릿색 자수실로 한 땀 한 땀 정성 껏. 코와 입 모양이 예각을 이루면 활발한 인상이 돼버리기 때문에 최대한 각을 둥글려 부드러운 모양이 나오도록 신경 썼다. 여하튼 '월영의 베어들'이 되어야 하는 것이다.

테이블 한가득 펼쳐놓은 재봉 도구. 머리뿐인 베어를 한 손으로 소중히 받치고 조심스레 코와 입을 꿰매 붙이면서 루리코는 사토시를 생각한다.

사토시는 대체 왜 방문을 걸어 잠그는 걸까. 왜 그리 게임만 해대는 걸까. 말을 걸면 대답은 꼬박꼬박 해주는데, 어째서 전혀 말이 통하지 않는 걸까. 대체 나는 언제부터 그것에 이렇듯 화가 나게 돼버렸을까. 사람들과 잘 어울리지 못하고 내가 골라주지 않으면 자신의 미각에 맞는 것과 맞지 않는 것도 구별 못하는 듯한 묘한 성격의 사토시가 좋았으면서.

낮에 하루오 방에서도 같은 생각을 했다.

하루오와는 평균 잡아 이틀에 한 번 꼴로 만난다. 비디오 대여점에서 우연히 만나는 것이 아니라 매일 아침 전화로 일정을 확인하고, '그럼 오전에 비디오테이프 반납하러 가는 김에 같이 산책하자' 라든지, '오후에 아파트로 와요' 라든지 하는 식으로, 미리 약속을 하고 만난다. '그럼 저녁때 가게로 와요' 라든지, '그럼 오늘은 못 만나겠네' 라든지, '그럼, 그 새로 나온 과자 시식하러 거기 가자' 라든지.

이틀에 한 번. 그것은 거의 매일이나 다름없다고 루리코는 생각한다.

하루오의 방은 묘하게 편하다.

―그만 가봐야겠다.

침대 밖으로 나와 속옷을 입으려던 루리코를 하루오가 뒤에서 살짝 끌어안았다.

―그렇게 급하게 가야 해요?

관자놀이에 입술을 대고 묻는가 싶더니 어느새 하루오는 루리코의 속옷을 벗겨 다시 바닥에 떨어뜨렸다. 하루오의 방은 햇빛이 무진장 쏟아져 들어온다.

―한 번 더 해요.

달콤한 목소리에 저항하지 못한 것이 아니라 그러고 싶은 욕구를 이겨내지 못해, 루리코는 다시 한 번 섹스를 했다.

―무슨 생각해요?

멍하니 천장을 보고 누워 있자 하루오가 물었다.

―남편 생각.

루리코는 대답하고 일어나 셔츠를 꿰입었다.

일하러 가는 하루오와 역까지 함께 걸었다. 하루오는 자전거를 끌었다.

―다음에 넷이서 밥 한번 먹어요.

그런 말을 했다.

―나랑 미야코랑 루리코 씨랑 남편분이랑 넷이서.

하루오는 마른 몸에 키가 크고 등이 조금 구부정하다.

—미야코가 루리코 씨 또 보고 싶다고 성화예요.

—하치미츠 프렌즈 회원까지 됐다면서?

하루오의 자전거는 다 낡아빠진 데다 자물쇠도 망가졌다. 여기저기 칠도 벗겨지고 페달도 조금 휘뚝거린다. 오후 2시, 산겐자야 거리는 사람의 왕래가 잦고, 빵집에선 빵 굽는 냄새가 풍겨 나온다.

—물론 구실이지만.

그렇게 말하고 하루오는 웃었다.

—루리코 씨 남편분, 한번 만나보고 싶어요. 어떤 사람일까.

질문처럼 들리지는 않았기에 루리코는 그저 고개를 갸웃해 보였다.

마침 지하철역 입구에 다다랐다.

"네? 해본 적 없어요?"

번화가의 한 게임센터에서 시호는 얼빠진 목소리를 냈다.

"이와모토 선배는 운동신경이 있어서 이런 거 틀림없이 잘할 텐데."

시호가 말하는 '이런 거'란, 자전거 안장에 올라앉아 페달을 밟으면 화면 속 날개 달린 자전거가 이동하면서 풍선을 터뜨려나가는 게임이다. 그것이 운동신경과 얼마만큼 관련이 있는지는 몰라도, 사토시는 여하튼 그 게임에 도전했다가 시호에게 '의외로 힘이 없다'는 평가를 받았다.

유원지에서 일하는 사람답게 시호는 각종 게임에 밝았다. 스키와 스케이트보드 게임을 비롯해 핸드볼만 한 공을 굴려 경쟁하는 쥐 레이스, 자동차 추격, 총을 난사해 '사라와 이언'을 구출하는 게임 등등, 시호가 시키는 대로 사토시는 하나하나 도전해보았다.

시호가 제일 좋아한다는 카누 젓기 게임을 둘이 같이할 때는 도중에 소리까지 지를 뻔했다. 오랜만에 땀을 흘렸다.

바깥은 밤공기가 차가웠다.

"아, 재밌었다."

그렇게 말하는 시호의 옆얼굴이 정말 진심으로 만족하는 것처럼 보여 사토시는 어쩐지 동요했다. 무방비한 표정이다, 하고 생각한다.

"목마르다. 뭐 좀 마실래요?"

시호는 묘하게 서두르듯 또각또각 구두 소리를 내며 앞장서서 걸었다. 12월의 거리.

"여기 괜찮겠어요?"

시호는 돌아보며 묻고, 사토시가 고개를 끄덕이자 한 술집 안으로 성큼성큼 들어간다.

사토시는 시호를 따라 OB 송년 모임 도중 자리를 빠져나왔다.

"벌써 2차 갔겠네."

사토시가 손목시계를 보며 말하자 시호는 카운터에 양 팔꿈치를 괸 채 입에 물고 있던 빨대를 빼고 물었다.

"신경 쓰이세요?"

사토시의 얼굴을 말끄러미 본다.

"아니, 별로."

사람을 빤히 보는 시호의 부드러워 보이는 뺨과 갈색 눈동자가, 사토시는 귀여웠다.

집에 돌아오자 여느 때처럼 루리코가 현관에 나와 맞았다.

"어서 와요."

일하는 중이었는지 거실에는 천이며 가위가 어질러져 있다.

"어땠어, 송년회?"

옷을 갈아입고 손과 얼굴을 씻고 입을 헹군다.

"늘 똑같지. 그런 거 아니겠어."

라든지,

"네모토가 안부 전해달래."

라든지,

"희한한 가게더라. 요리는 거의 먹질 못했어."

라든지, 생각나는 대로 보고했다. 미우라 시호와 중간에 **빠져**
나온 일은 말할 수 없을 것 같았다.

"당신 편식하잖아."

양복을 집어 옷걸이에 걸거나 타월을 건네주기도 하면서
루리코는 말했다.

"뭐 좀 먹을래?"

사토시는 됐다고 대답한 후에 "차."라고 덧붙인다. 아무것
도 부탁하지 않는 것보다 뭐든 부탁해야 아내가 좋아한다는
것을 사토시는 알고 있다.

"네."

루리코는 기분 좋게 대답하고 부엌으로 갔다.

"베어 얼굴을 만드는 중이었어."

여느 때처럼 루리코는 하루 동안의 일을 보고한다.

"테이블 위에 있으니까 봐봐. 제법 사려 깊어 보이는 얼굴

이지?"

아니나 다를까, 테이블 위에는 곰 머리 세 개가 나뒹군다.

"그러네."

사토시는 스스로 생각해도 멍청하다 싶게 맞장구쳤다. 만들다 만 곰은 언제 봐도 참살당한 것처럼 보인다.

"아까 라디오에서 느낌 괜찮은 곡이 나왔어."

아내의 보고는 계속된다.

"가수 이름은 못 들었는데 예전에 좋아했던 밴드 보컬이랑 비슷했어. 페어그라운드 어트랙션이란 밴드인데, 당신 알아?"

몰라, 하고 대답했다.

"낮에 산겐자야에 나갔다가 과일 가게에서 엄청 좋은 망고를 발견했어. 크고 동글동글하고 예쁜 핑크색 오스트레일리아산 망고."

내일 아침에 같이 먹자, 하면서 루리코는 차를 내왔다.

뜨겁고 향 좋은 현미차를 마시면서 사토시는 송년회에 대해 이야기했다. 누구누구가 아이를 낳았다느니, 누구누구는 완전히 중년이 다 돼버렸다느니.

말 못할 일이 하나 있으니까 오히려 다른 일을 이야기하기가 수월하다는 생각이 들었다.

알코올이 조금 들어간 탓인지 게임센터에서 몸을 움직여서인지, 목욕을 마치고 푹 잘 수 있었다.

이튿날도 맑은 겨울날이었다.

화이트와 블루로 통일된 곰투성이 침실은 이 집 안에서 볕이 가장 잘 든다.

"일어나, 지각하겠어."

알람 시계 덕에 눈은 떴지만 루리코가 깨우러 올 때까지 몽롱한 상태였다.

어젯밤 일을 떠올린다.

게임센터에 갔다가 한잔하고 집에 돌아왔다. 그게 전부지만 즐거웠다. 그러고 보니 단순히 즐거웠던 적이 한동안 없었던 것 같다.

—아, 재밌었다.

그렇게 말하던 시호의 표정. 흡족한, 그리고 무방비한. 하마터면 끌어안아 버릴 뻔했던 그 표정.

아내 몰래 처음으로 비밀을 만들었다. 어이없다. 딱히 뭘 한 것도 아닌데. 출근 채비를 마치고 거실로 나간다.

아침에는 늘 입맛이 없다. 테이블 위에는 이것저것 차려져 있었지만, 커피만 마시고 코트를 입었다.

"잘 다녀와요. 몸조심하고. 될 수 있는 한 일찍 들어오고요."

여느 때와 마찬가지로 아내가 말했다.

"응."

사토시는 대답하고 구두를 신었다.

"루리코."

"응?"

"당신은 나한테 비밀 같은 거 없어?"

현관문을 열고, 열린 문을 한 손으로 받치며 물었다.

"비밀?"

루리코는 의아하단 듯한 표정을 짓더니, 이어 지극히 당연한 일을 말하듯 대답했다.

"물론 있지."

"온천?"

침대 시트 안에서 하루오는 토라진 얼굴로 물었다. 그 얼굴이 루리코는 좋았다. 말과 감정과 표정이 이어져 있다. 그것은 편안함을 안겨준다.

"그래. 연말에는 매년 온천에 가."

며칠? 하고 하루오는 물었다.

"이틀 밤."

하루오의 품 안은 왜 이리 편안할까, 루리코는 생각한다.

"싫다. 보내고 싶지 않아."

루리코는 온천에 책을 가져갈 생각이다. 사토시는 올해도 게임기를 가져가겠지.

"보내고 싶지 않아."

하루오는 되풀이해 말하고 루리코 가슴에 코를 비벼댔다. 조용한 오후. 부엌 테이블에 동백나무 가지 하나가 장식되어 있다. 미야코가 가져온 것이란다.

"미안."

저 혼자 토라졌다 저 혼자 사과하는 건 하루오의 버릇이다.

"미안. 보내줄게요. 참을게. 기다릴게요."

루리코는 미소 지었다.

"멋대로 말하긴. 자기도 미야코 씨가 있으면서."

미야코는 가족과 함께 산다. 하루오는 크리스마스에 미야코 집에 초대받았다고 한다. 그 집 식구들을 만나는 건 처음인 모양이다.

"심술쟁이."

왜? 하며 루리코는 담배에 불을 붙였다.

"사실이잖아?"

연기를 깊이 빨아들였다가 토해낸다. 예쁘고 상냥한 여자 친구가 있으면서 왜 그날 자신을 꼬였는지 알 수 없었다.

―여자는 다 다르니까.

언젠가 하루오는 그런 말을 했다.

―저마다 매력이 있으니까.

"만약 내가 미야코랑 헤어지면 어쩔 거예요?"

하루오는 루리코의 담배를 집어 들어 피우고는 다시 돌려 주며 물었다.

"어쩌긴 뭘 어째."

루리코는 재떨이―어딘가 커피숍에서 집어 온 게 틀림없 는 파란색 플라스틱 재떨이. 오렌지너라는 음료 상표가 찍혀 있다―에 담배를 눌러 끄며 말했다.

"그럴 줄 알았어요."

하루오는 조용히 웃는다.

거의 한 달 만에 만났을 때, 시호는 기쁜 마음을 숨김없이 드러냈다.

"정말 보고 싶었거든요."

밤이 시작되는 공원을 걸으며 그렇게 말했다. 보름 늦은 크리스마스 선물이라며 지갑을 주었다. 곱게 포장한 상자에 빨간 리본이 둘러져 있다.

"제가 워낙 쉬는 날이 불규칙하잖아요. 주말에 쉬는 일이 좀처럼 없어서, 지금까지 좀 불만이었어요."

자갈을 밟으며 나란히 걸었다.

"친구들도 못 만나고."

공원 안 오솔길은 가로등 불빛을 받아 밝았다.

"하지만 요즘엔 차라리 잘됐다 싶기도 해요. 어차피 주말에 쉬어도 선배를 못 보니까."

그런 말을 했다.

"아, 저 레스토랑, 가본 적 있어요?"

사무실이 밀집한 지역에 있는 그 큰 공원 안에는 작은 식당이랄까, 양식집이 하나 있다. 사토시는 가본 적 없다고 대답했다.

"다음에 같이 가요. 테라스석에 앉으면 무릎 담요를 빌려주거든요."

"그래? 잘 아네?"

정월 휴가 때는 오랜만에 본가에 돌아가서 손 하나 까딱 않고 해주는 밥을 먹으며 탱자탱자 보냈다고 말하는 시호의 변화무쌍한 표정을 보면서 사토시는 대답했다.

—오늘, 퇴근길에 볼 수 있어요?

낮에 시호가 전화로 물었을 때 사토시는 솔직히 말해 기뻤다. 그렇지 않아도 시호가 보고 싶던 참이었다.

여느 해와 다름없이 세밑에 루리코와 온천을 찾았다. 여느 때처럼 게임기를 가져가 과제였던 제3스테이지를 돌파했다. 루리코는 곁에서 책을 읽었다.

그곳 온천은 알칼리천으로, 루리코에 의하면 '각질화된 피부를 매끄럽게 만들어주는 효과가 있다'는데 사토시로서는 '각질화된 피부'가 어떤 것인지 알 길이 없었다. 그래도 여하튼 시키는 대로 예년처럼 하루 수차례 온천탕에 몸을 담갔다. 그리고 탕 안에서 시호를 생각했다. 도쿄로 돌아가 시호를 만날 일이 기대됐다.

요정풍 요리로 유명한 보양 시설답게 저녁 식사 때 갖은 요리가 한 상 가득 나왔다. 순무찜에 붕장어찜에 듣도 보도 못한 귀한 음식들을 죄 남긴 사토시를 보며 루리코는 쓴웃음을 지었다.

—맛있는데.

라고 말하고,

　―사토시는 정말 편식이 심하다니까.

라는 말도 했다. 하지만 그런 루리코도 가리는 게 많아서, 생선회도 사슴고기 스테이크도 닭고기 샤브샤브도 입에 대지 못했다.

　닮은꼴 부부라고 사토시는 생각한다.

　―오빠 부부는 특이해애.

　여동생 아야의 그런 말을 들을 것도 없이.

　"언제 또 만날 수 있어요?"

　시호가 문득 멈춰 서며 물었다.

　"언제든."

　사토시는 밝게 대답했다.

　"분부만 내리신다면."

　얼버무려 넘기는 건 특기였다.

　"약았어요, 이와모토 선배."

　시호는 볼멘 얼굴을 한다. 보고 싶었다는 말은 하지 않았다. 시호는 확실히 귀엽지만, 시호와 함께 있으면 사토시는 왜 그런지 루리코의 좋은 점만 떠오른다. 루리코의 좋은 점. 미인에, 눈치 빠르고 머리가 좋다. 낯가림이 심하고 타인에게 경계심이 많은 만큼, 사토시만은 무서울 정도로 신뢰한다. 화를 내지 않고 소란스럽지 않다. 이러는 동안에도 루리코가 자신이 집에 오기를 기다리고 있을 거라 생각하니 빨리 돌아가고 싶었다.

"또 전화해."

싱긋 웃으며 말해보았다.

"언제든 시간 낼 테니까."

지갑은 다음 주까지 가방에 넣어두자고 사토시는 생각했다. 다음 주에 회사 신년회가 있으니, 그때 경품에 당첨된 것으로 하자.

두 번째 비밀이었다.

집에 돌아오니 후지이 도미코가 와 있었다.

"또 이렇게 폐를 끼치네요."

고개를 꾸벅 숙이며 말했다.

"아, 잘 오셨습니다."

전시회 안내장이 나왔다고 루리코가 말했다.

"이거 봐."

그것은 곰 사진이 딸린 엽서였다. 〈월영의 베어들, 이와모토 루리코 창작 베어전〉이라 적혀 있다.

"진짜네."

"늦었네? 어디 딴 데 들렀어?"

루리코의 물음에 시계를 보니 8시 반이었다. 평소보다 한 시간 늦었다.

"아니, 일이 좀 남아서."

"흐음, 별일이네."

루리코 말에 도미코가 쿡쿡 웃었다.

"그럼 전 슬슬 가볼게요."

코트를 입고 사토시에게 말한다.

"루리코 씨, 걱정하던 참이었어요."

"늦으면 늦는다고 전화해주면 좋았을걸."

루리코 말에 사토시는 미안하다고 사과했다. 전화하지 않은 것을 진심으로 후회했다.

도미코가 돌아간 후 사토시는 차려진 저녁을 남김없이 먹고, 설거지하는 아내 곁에서 석간신문을 훑으며 시호를 생각했다. 그리고 가방 속 지갑을.

"루리코."

"응?"

물을 잠그고 돌아보는 아내에게 물었다.

"내 팔에 안길래?"

루리코는 순간 주저하다가,

"그럴게."

라고 대답하고 다가와 사토시 눈앞에 선다. 사토시는 아내를 팔로 감쌌다. 천천히 3초를 헤아린다.

"이제 됐지?"

루리코가 눈을 감고,

"조금만 더."

라고 말했다.

다시 3초를 헤아리고 팔을 풀었다. 루리코가 눈을 뜨고 "고마워."라고 한다.

"좀처럼 없는 일인데. 당신이 자진해서 안아주는 거."

가끔은 이럴 때도 있어야지, 라고 대답한 사토시는, 어쩐지 아내와 사이가 좋아진 것 같아 만족스럽게 자기 방으로 물러 갔다.

봄

2월에 들어서면서 궂은 날씨가 이어졌다. 차갑고 끝 모를 겨울비.

도쿄의 낮은 버밍엄의 심야다.

"나 연애해."

전화로 이야기하자 애너벨라는 놀라지도 않고,

"That's normal(예삿일이야)."

이라고 대답했다. 낮고 꺼슬꺼슬한, 그리운 목소리로.

"하고 싶지 않은데."

루리코 말에 애너벨라는 웃었다.

"하고 싶지 않아? 왜?"

루리코는 지극히 고지식하게 대답했다.

"사실은, 남편만 사랑하고 싶어."

애너벨라는 아주 잠깐 침묵하고,

"난감하네."

라고 말했다. 전화선을 타고 밤공기가 흘러오는 것 같다고 루리코는 생각한다. 그 촉촉한 공기 냄새를 맡듯이 살짝 숨을 들이마셨다.

"지금 뭘 그려?"

물방울이 맺힌 창유리를 바라보며 물었다.

"──."

애너벨라는 낯선 단어를 입에 올리더니, 수국의 일종이라고 설명했다.

"2월에?"

"요 1년 쭉 그것만 그리고 있어."

애너벨라는 식물 그림만 그리는 화가다. 정밀한 펜화도 좋지만 루리코는 수채화가 마음에 든다.

"여름에 전시회가 있어."

"수국만?"

"수국을 위주로."

애너벨라는 늘 정확한 표현을 구사한다. 그런 점이 안심되어 좋다고 루리코는 생각한다.

하루오에게도 비슷한 구석이 있다. 하루오는 언어를 주의 깊게 선택한다. 주의 깊게, 게다가 청결하게. 청결이란, 말하자면 손때가 묻지 않았다는 것이다. 그때 그 자리에 발생하는 언어. 하루오는 일종의 동물적인 본능으로 자연스럽게 그것을 골라낸다.

"나도 다음 달에 전시회가 있어."

"어떤?"

"곰들만의."

애너벨라는 웃고 나서 말했다.

"재능을 한껏 뽐내길 바랄게."

"너도."

서로 행운을 빌며 전화를 끊었다.

전시회는 성황리에 끝났다.

루리코는 그리 자주 가보지 않았지만, 대신 도미코와 가게 스태프가 늘 교대로 화랑에 나가주었다.

한동안은 베어를 만들고 싶지 않아.

화창한 오후, 루리코는 경단을 빚으면서 생각한다.

좀 전에 아야에게서 전화가 걸려 왔다.

—지금 역 앞이에요.

그녀는 늘 갑자기 찾아온다.

—할 얘기가 좀 있어서.

저녁 약속이 잡혀 있어 그리 달가운 방문은 아니었지만 이미 역 앞까지 왔다는데 그냥 돌려보낼 수도 없는 노릇이었다. 남편 이외의, 좋아하는 남자와의 약속.

—화랑에 안 가봐도 돼요?

지난번에 만났을 때 하루오가 물었다.

—괜찮아. 나가 있어봤자 거북하기만 한걸.

하루오 방에서 함께 잡지를 보던 중이었다. 잡지에는 할리우드 가십거리가 실려 있었는데, 루리코는 그것이 무척 재미있었다. 하루오는 흥미 없는 눈치였지만.

—모두가 내 베어를 말끄러미 보는 동안 난 어떤 얼굴로 서

있어야 할지 모르겠어.

　—그것도 그렇겠네요.

　하루오는 싱긋 웃으며 말했다. 브리지가 들어간 머리카락에 햇살이 닿아 예뻤다.

　—낯모르는 사람이 말을 걸어오질 않나.

　하루오는 방금 전보다 한층 더 재미있다는 듯 미소 지었다.

　—나처럼?

　그러고 보니 까맣게 잊고 있었다. 까맣게 잊고 있었는데, 작년에 바로 그 화랑에서 하루오가 말을 걸어왔다. 지금은 일주일의 절반을 하루오와 함께 보낸다.

　현관 벨이 울려 루리코의 사고를 중단시켰다.

　"안녕하세요오."

　아야는 알 수 없는 투명감과 밝은 기운이 묻어나는 목소리로 인사하고, 재빨리 의자에 앉았다.

　"잠깐만 기다려요. 지금 찹쌀 경단을 만들던 참이라서."

　빚어놓은 경단을 끓는 물에 하나씩 집어넣는다. 작은 냄비속에 물거품이 보글보글 끓어오른다.

　"전시회 갔었어요."

　아야가 말했다.

"재밌었어요. 봉제 인형을 좋아하는 사람들이 진짜 있더라고요."

뭘 보러 갔던 걸까. 루리코는 쓴웃음을 지으며 떠오른 경단을 얼음물에 담근다.

아야는 올봄에 대학을 졸업하고 한창 긴 봄방학을 보내는 중이다. 대학원에 진학한단다.

"뭘 공부한댔죠?"

녹차를 우리며 물었다.

"경제."

이런 눈을 두고 길게 째진 눈이라고 하는 거겠지, 라고 루리코가 평소에 생각하는 아야의 눈은 오늘도 짙은 마스카라로 반들반들하게 강조되어 있다.

"이거 맛있네에."

고운체로 거른 살구 시럽에 경단 하나를 적셔 입에 넣고 아야는 말했다.

"이거 어떻게 만들어요?"

설명해주자 아야는 끝까지 다 듣고 나서 흐음, 하고 말했다.

"흐음. 하지만 됐어요, 딱히 내가 만들 것도 아니고."

라고.

"할 이야기란 게 뭔데요?"

루리코가 묻자 아야는 고개를 갸웃하며,

"오빠 이야기."

라고 대답한다.

"오빠가 좀 무딘 구석이 있어서, 조심하는 편이 좋을 거라고 말하러 왔어요."

이번에는 루리코가 고개를 갸웃했다.

"무뎌요?"

"무딘 남자일수록 시시한 여자한테 낚이니까."

시시한 여자.

"그거, 날 두고 하는 말이에요?"

그렇게 묻자 한순간 공백이 생기고, 아야는 깔깔깔 웃었다.

"새언니는 역시 특이해. 일부러 말해주러 왔더니, 상상력이 그렇게 없어요?"

루리코는 속으로 생각한다. 그러는 네가 훨씬 특이해, 라고.

"담배 피워도 돼요?"

그렇게 말하고는 가느스름한 담배를 물고 불을 붙이는 아야의 옆얼굴을 보며 루리코는 생각한다. 예쁜 아이라고.

"시시한 여자라면 겁나지 않아요."

루리코 말에 시누이는 눈썹을 추켜올리며 묻는다.

"정말요?"

"아야 아가씨, 사귀는 사람은?"

"있어요."

당연하다는 듯 말했다.

"정부(情夫)예요. 꼬박꼬박 용돈을 받으니까 진짜 정부. 아, 이거, 오빠한테는 비밀이에요."

별로 의외도 아니었기에 루리코는,

"그래요."

라고 대답하고 녹차를 홀짝였다.

이와모토 사토시는 하프 앤드 하프(스타우트에 보통 맥주를 반쯤 섞어서 만드는 가장 전통적인 맥주 칵테일—옮긴이)를 마시며 기분 좋은 밤을 보내고 있었다.

"바닷가로 놀러 갈 때는 도시락이 빠지면 안 된다고 그 사람이 요구해서, 하는 수 없이 새벽 5시부터 일어나서 도시락을 쌌잖아요, 그때."

미우라 시호는 학창 시절 연애담을 이야기하고 있다.

"요리는 질색이고 지금 같으면 말도 안 된다 싶지만, 그때는 다 그래야 하는 줄 알았으니까."

오늘 시호는 물색 블라우스에 회색 카디건을 걸쳤다. 사토시에게는 그 모습이 여자답고 청결해 보였다.

"그 도시락, 지금은 맛볼 수 없나?"

먹고 싶은 생각은 전혀 없었지만 그렇게 말해보았다. 시호는 놀란 얼굴로 사토시를 보았다. 그 모습은 사토시에게 작은 동물을 연상시켰다. 토끼나 너구리 같은.

"그런 건 아니지만……."

어쩐지 부끄럽다는 듯 시호는 말하더니, 큰 눈을 한층 더 크게 뜨고 물었다.

"선배가 데려가 줄래요? 바다."

"바다라."

난감하단 얼굴로 얼버무렸다.

"그럼 스키장."

시호는 젓가락 봉투를 휘휘 돌리며 말한다.

"결정. 봄 스키."

고려해보겠다고 대답하면서 사토시는 곰곰이 생각한다. 이런 건 마음 편하다고. 잊고 있었는데, 이런 대화는 옛날부터 자신 있었다, 라고도.

"선배, 오늘 시간은요?"

괜찮다고 대답하며 손목시계를 보니 아직 9시 전이었다. 루리코에게는 오랜만에 네모토와 술 한잔하고 들어간다고 말해 두었다. 늦어질 것 같으니 먼저 자라고.

"좋아라! 그럼 우리 노래방 갈래요, 노래방?"

시호는 무척 신이 나서 재잘댔다.

간단한 일이었다. 집 안과 밖을 구분하면 되는 거다. 나쁜 짓을 하는 건 아니니까.

비밀이 조금은 있어야 일이 두루두루 잘 굴러간다. 요 몇 달 새 사토시는 그것을 배웠다. 애초에 뭐든 다 아내에게 이야기하는 게 이상한 거였다.

"그럼 한 잔 더 마시고 나서 장소를 옮기자."

종업원에게 빈 맥주잔을 들어 올려 보이며 사토시는 말했다.

"벌써 돌아가게요?"

하루오가 말했다.

"남편분 늦는다면서요."

포갠 베개에 등을 기댄 자세로, 매무새를 정리하는 루리코를 본다.

"그랬지만, 그래도 돌아갈래."

하루오와는 만날 때마다 잠자리를 갖는 관계가 되어 있었다. 이 사람의 몸이 목적인지도 모르겠다는 생각이 들 만큼 하루오의 몸은 매력적이었다.

"왜요?"

머리카락을 쓸어 올리는 모습도, 그 손목에 채워진 요상한 천 팔찌도.

"돌아가고 싶으니까."

루리코 말에 하루오는 웃었다.

"알았어요. 바래다줄게요."

시계는 7시를 가리키고 있다.

사토시는 원래 사교적인 편은 아니다. 술자리에 가도 1차만 하고 돌아올 때가 많고, 컨디션이 나쁘다며 더 일찍 빠져나올 때도 있다. 이유야 어떻든 귀가하는 사토시를 집에서 맞이하고 싶었다.

저녁 무렵, 아야를 역까지 바래다주고 곧장 이리로 왔다. 섹스를 하고, 하루오가 만든 스파게티로 이른 저녁을 먹고, 또 침대에서 엉켜 붙어 키스했다. 섹스는 하지 않았지만 다를 바 없었다.

"나, 네 몸이 목적인지도 몰라."

자전거를 끌며 걷는 하루오 옆에서 말하자 하루오는,

"상관없어요."

라고 했다. 그러고는,

"나야 영광이죠."

라고 덧붙이며 싱긋 웃었다.

역에 도착했지만 그냥 헤어지고 싶지 않았다. 하루오도 그랬는지 자전거를 세우고,

"좀 더 바래다줄게요."

라 하고선 전철 표를 두 장 샀다.

사토시는 오자키 유타카의 노래를 주로 불렀다. 물로 희석한 위스키를 마시고 키세스 초콜릿을 집어 먹었다. 시호는 최근 노래를 불렀다. 누구의 무슨 노래인지, 사토시는 알 수 없었다.

"넷이서요?"

3색 아이스크림—최근엔 노래방에 그런 것까지 있다—을 먹으며 시호가 되묻는다.

"응. 내키진 않지만."

내일, 루리코의 고객과 함께 식사를 하기로 했다. 루리코 말에 의하면 깊은 규중에서 곱디곱게 자란 아가씨ー요즘 세상에 그런 사람이 있는지 어떤지 알 수 없지만ー인 모양이다. 그 아가씨의 남자 친구도 같이 오니까 사토시도 오라는 이론에는 묘한 기분이 들었지만, 유학 생활의 영향인지 루리코에게는 이전부터 '커플이 기본'이라는 사상이 있고, 그것을 너무 무시하면 '사랑이 없다'고 타박한다.

"보통 일이 아니네요, 인형 작가의 남편으로 산다는 거."

농담인 척 시호가 말했고, 사토시는 고개를 움츠렸다.

마지막 전철로 집에 돌아오니 루리코는 그때까지 안 자고 기다리고 있었다.

"어서 와요."

여느 때처럼 현관에 나와 말한다.

"네모토 씨는 별일 없고?"

적당히 맞장구를 쳐가며 세면실에서 입을 헹구고, 그대로 옷을 벗고 목욕을 했다.

"노래방에 갔었어."

루리코는 놀란 모양이었다.

"별일이네."

뭘 불렀느냐고 묻는다. 사토시는 솔직히 대답했다.

"네모토 씨는?"

"하마다 쇼고 노래."

학창 시절을 떠올리며 대답한다.

"그게, 열창해야 하는 노래라 좀 시끄럽단 말이지."

대화는 신기할 정도로 매끄럽게 이어졌다. 숨겨야 할 일이 있다 보니 해야 할 이야기도 절로 술술 나온다. 이것은 늘 뭔가 이야기해야 하는 이 집안에서 무척 바람직한 현상이 아닐 수 없다.

"오늘 아야 아가씨가 왔었어."

루리코가 말했다.

"찹쌀 경단 만들었어."

다음은 아내의 하루치 보고를 들을 뿐이다.

사토시가 눈을 떴을 때, 화이트와 블루로 통일된 침실은 커튼 틈으로 비쳐 드는 햇살 덕에 이미 환하고, 서랍장 위의 곰들은 제각기 허공을 바라보고 있었다.

"잘 잤어?"

거실로 나가자 아침이 이른 루리코가 이미 한 차례 작업을 마치고—책이며 원고용지가 어질러진 책상 위를 보면 알 수 있다—커피를 마시고 있었다.

"일어났어? 아침 먹을 거지?"

응, 하고 의자에 앉는다. 10분도 안 돼 커피와 오믈렛, 꼭지를 떼어낸 딸기가 테이블에 차려진다.

"뭘 입으면 좋을까."

사토시가 말했다.

"응?"

"오늘 식사해야잖아, 고객이랑."

"고객까진. 그냥 친구야."

어느 쪽이든 상관없지만, 하고 생각하면서 커피를 마신다.

"사토시."

루리코가 진지한 얼굴로 말했다.

"싫으면 안 가도 돼."

"싫지 않아. 갈게, 걱정 마."

식욕은 별로 없었지만 차려진 음식을 느릿느릿 입으로 가져간다.

"사토시."

내 말 좀 들어보라며 눈앞에 앉는 루리코를 보고 사토시는 안 좋은 예감이 들었다. 아내가 이런 표정으로 마주 앉을 때는 각별한 주의가 필요하다. 영문 모를 이야기를 꺼내기 때문이다. 내가 탐욕스러워 보이냐는 둥, 이 집에 사랑이 필요한지 어떤지도 모르겠다는 둥.

"중요한 건, 하루하루를 함께 살아가는 데 있다고 봐."

사토시는 응, 하고 대꾸한다.

"함께 자고 함께 일어나고, 어딜 나가더라도 다시 같은 장소로 돌아온다는 거."

"응."

"그런 게 중요한 것 같아."

"응."

"기억해둬, 알았지?"

사토시는 이 대목에서 말문이 막혔다. 뭘 기억해두어야 할지 몰랐기 때문이다. 하지만 어쩔 수 없이 "응." 하고 대답했다.

"다행이다."

루리코는 생긋 웃고 일어나 커피를 한 잔 더 따라주었다.

그래서 결국, 하고 사토시는 생각한다. 그래서 결국, 뭘 입으면 좋을까.

회식 자리는 거북했다. 사토시는 대화에 거의 끼지 않고 잠 자코 앉아 있었다. '이탈리아 요리를 마음 편히 먹을 수 있는 가게'에서.

루리코의 고객은 확실히 '곱게 자란 규중처녀'다운 분위기 를 풍겼다. 보기 드문 미인인 데다 키가 크고, 긴 머리에 다리 도 늘씬하고 아름다웠다. 사토시는 보자마자 '스튜어디스 타 입'이라고 분류했다. 다소 적극성이 떨어지는 게 흠이라면 흠 이지만, 겉보기에는 딱 스튜어디스였다.

곰 인형을 어지간히 좋아하는지, 네덜란드의 누구누구라는 창작 베어 작가 이야기며 '몇 분의 몇'이라고 분수로 개수가 명기된 베어의 특별함에 대해 내내 루리코와 대화를 나눈다.

같이 온 남자는 마른 체형에, 조금 불성실해 보인다는 인상 을 받았다. 머리에 브리지를 넣은 데다 요즘 세상에 촌스럽 게 미상가(자수실이나 리본으로 만든 팔찌. 닳아서 저절로 끊어지면 소원이 이루어진다고 해서 목욕할 때도 풀지 않고 팔에 감아두는 일 종의 부적―옮긴이)를 차고 엄지손가락에 반지까지 끼고 있다. 따분한지 아까부터 사토시 쪽을 힐끔힐끔 보며 빵만 먹는다.

"하지만 멋졌어요, 〈월영의 베어들〉."

여자의 말에 루리코는 미소 지으며 고맙단 인사를 했다.

사토시는 언젠가 도미코가 했던 말을 떠올렸다. 루리코에게는 열혈 팬이 적지 않고, 게다가 이런 유의 전시회로는 믿기 어려울 만큼 많은 사람들이 모여든다던.

"남편분은 보러 안 가십니까?"

남자가 불쑥 질문을 던졌다.

"예?"

"루리코 씨 전시회."

"아, 그런 데는 별로…… 봉제 인형의 세계는 잘 몰라서."

이유도 없이 위축되었다.

"저 같으면 도저히 안 될 일이죠. 제일 먼저 보러 갈 테니까요. 그러니까, 예를 들어 미야코의 전시회라면."

무슨 소리야, 라며 스튜어디스 타입의 여자가 웃었다.

"제가 워낙 질투가 심해서 다른 녀석들에게는 보여주고 싶지 않다고 생각할지도 모르죠."

사토시는 달리 대꾸할 말이 없었다.

"전시회 같은 거 보지 않아도 사토시와 저는 확실히 교감하고 있으니까요."

루리코가 딱 잘라 말하자 사토시는 한층 더 곤혹스러웠다. 쓸쓸하게 헛웃음을 짓는 수밖에 없었다. 이래서 이런 자리는 질색이라니까, 라고 생각하면서.

집에 오는 길에 산책을 하고 싶다는 루리코를 따라 20분 정도 돌아 걸었다. 단지 마당에 핀 노란색 꽃을 루리코가 못내 보고 싶어 했던 것이다.

"피곤해?"

걸으면서 루리코가 물었다. 사토시의 대답은 기다리지 않고 말을 잇는다.

"미안해, 같이 가자고 해서."

"괜찮아, 사과하지 않아도. 일이잖아."

루리코는 한숨을 내쉬었다.

"일이 아니라 친구라고 했지? 내 말 하나도 안 들었네."

식, 하는 소리와 함께 자전거 한 대가 밤길을 지나간다.

"사토시는 청결해."

루리코가 툭하니 말했다.

"다른 사람들을 만나보면 잘 알 수 있어. 당신은 절대 그 자리에 녹아들지 않아. 베어들처럼 청결해."

별로, 란 생각이 들었지만 입 밖에 내지는 않았다.

"우리 버스 정류장 쪽에도 가볼까?"

루리코 말에 사토시는 마지못해 대답했다.

"안 될 건 없지만."

버스 정류장 옆에는 개를 키우는 집이 있고, 루리코는 그 개가 꽤 마음에 드는 눈치다.

"베어들과 다른 점이라면 회사에 나간다는 거지."

루리코는 아직도 그 얘기다.

"그리고 과거가 있다는 거."

흠칫 놀랐다. 과거에 알게 된 미우라 시호와는 다음 주 금요일에 또 만나기로 했다.

"아, 빙고."

루리코를 알아본 개가 사슬을 질질 끌며 대문 앞까지 나왔다. 무릎을 꿇고 앉아 개의 콧잔등을 쓰다듬기도 하고 개가 얼굴을 핥게 하기도 하는 아내의 모습을, 사토시는 꿔다 놓은 보릿자루처럼 우두커니 서서 보고 있었다.

창

"스키?"

우유와 설탕을 듬뿍 넣은 진한 커피를 휘저으며 침대 안에서 하루오가 물었다.

"어디로? 며칠이나?"

루리코는 피식 웃었다.

"꼭 질투 심한 아내처럼 말하네?"

이 방은 늘 어질러져 있는데도 불쾌하다는 느낌이 들지 않는다. 사토시에게 '결벽증'이라고 놀림을 살 만큼 깔끔을 떠는 루리코는 신기한 마음에 고개를 갸우뚱한다.

"사이좋네."

하루오는 토라진 듯 말했다.

"온천에 다녀온 지 얼마나 됐다고."

루리코는 블랙커피를 한 모금 마시고는, 너무 뜨거워 저도 모르게 얼굴을 찌푸린다.

"지금 몇 시?"

여기 온 것이 아침 10시였다. 오후부터 집에서 촬영이 있으니 늦기 전에 돌아가야 한다. 수요일. 봄다운 좋은 날씨다. 루리코는 커피 잔을 바닥에 내려놓고 속옷을 주워 입는다.

─오랜만에 스키 타러 안 갈래?

매사 귀찮아 하는 사토시가 무슨 바람이 불었는지 그렇게 말했을 때, 루리코는 무척 기뻤다. 스키 따위, 전혀 좋아하지도 않으면서.

─갈게.

바로 대답했다.

─추리소설 가져가야지.

"어차피 연휴인걸. 도쿄에 있다고 만날 수 있는 것도 아니 잖아."

채비를 마친 루리코는 그렇게 말하고, 뿌루퉁한 하루오의 이마에 입을 맞춘다.

하루오는 전철역까지 바래다주겠다는 말을 하지 않았다. 웃 통을 벗은 채 대충 걸친 트레이닝팬츠 차림으로 현관까지 나 오더니 볼멘소리를 한다.

"어디로 가는지도 안 가르쳐줘요?"

"바보같이, 그런 얼굴을 하고."

루리코는 웃고 말았지만 가슴속에서 무언가가 날뛰는 것을 느꼈다. 하루오는 가끔 이런 얼굴을 한다. 거둬주는 이 없는 들개 같은 얼굴. 하루오는 들개이지 루리코의 베어는 아니다.

"니가타. 오쿠타다미 마루야마 스키장. 사토시 말로는 5월 엔 거기가 최고래."

하루오는 그저 고개만 움츠려 보였다.

"그건 아무 문제 없어."

분수가 있는 광장에서 사토시는 시호가 손수 만들어 온 샌 드위치를 씹으며 보장했다.

"원래 장시간 운동할 수 있는 타입이 아니거든."

작은 바구니에 가득 담긴 샌드위치는 모두 세 종류로, 한 귀퉁이에 피클과 방울토마토가 곁들여져 있다.

"전에 갔을 때도 부탁이니까 같이 타자고 했는데도 굳이 당신 좋아하는 코스에서 실컷 타다 오라고, 안 그럼 돌아갈 거라고 고집 피웠을 정도니까."

자신은 먹는 둥 마는 둥 사토시의 먹는 모습을 열심히 지켜보던 시호는,

"그럼 다행이지만."

이라 말하고 캔에 든 녹차를 한 모금 마셨다.

"아무래도 오전 중엔 잠깐 같이 탈지도 모르지만, 지난번에도 결국 그 사람은 하루 태반을 로지(lodge, 산장 형식의 숙소—옮긴이)에서 보냈고, 이번에도 그럴 거야."

세 종류 중 감자 샐러드가 들어간 것—이것만은 왜인지 옅은 갈색 식빵으로 만들었다—이 가장 낫다고 생각하면서 사토시는 말했다. 피클과 토마토를 남기면 시호 기분이 상할까, 라는 생각을 한다.

"그걸 어떻게 알아요?"

"추리소설을 가져간다고 했거든."

사토시의 대답에 시호는 눈을 또르르 굴려 보인다. 졌다, 혹은 특이하다는 의미로.

요리 솜씨는 단연 루리코가 우위였다. 사토시는 그렇게 생각하는 자신이 자랑스러움 비슷한 기쁨을 느끼고 있다는 것을 깨닫는다.

"날씨 좋네."

사토시는 햇살에 눈을 가늘게 떴다.

촬영은 막힘없이 진행되어 2시간이 못 돼 끝났다.

"오늘 온 카메라맨은 솜씨가 좋았죠?"

햇살이 기울기 시작한 부엌에서 루리코가 말했다. 후지이 도미코는 다 식어버린 튀김 과자 한 조각을 막 입에 넣은 차라 목소리를 내지 못하고 연거푸 고개만 주억거렸다. 촬영 주도권은 언제나 카메라맨이 쥐고 있으며, 사진이 완성되고 안 되고는 물론이고 시간이 길어지느냐 마느냐도 그—혹은 그녀—의 재량에 달려 있었다.

도미코의 잡지에 루리코는 철마다 과자를 소개한다. 오늘은 여름 과자 촬영을 위해 과일을 갈분으로 굳힌 연한 젤리와 앙금으로 튀김 과자를 만들었다.

"하지만 좋겠어요, 남편분과 스키장에 가다니."

튀김 과자를 다 씹어 삼킨 도미코가 그렇게 말했다.

"저, 루리코 씨 집에만 오면 결혼하고 싶어진다니까요."

"그래요?"

루리코는 가볍게 미소 지었다.

"그렇게 말해주니 기쁘긴 한데."

여기 있는 건 사랑이 아니라 굶주림이다. 그렇게 말하면 도미코는 어떤 표정을 할까. 남편이 아닌 다른 남자를 좋아하게 되는 거 참 간단하더라, 라고 하면?

"루리코 씨네 부부는 사이가 정말 좋잖아요."

도미코 말에 간신히 수긍한 루리코는 힘 있게 고개를 끄덕였다.

"좋죠. 그것도 아주 좋다고 할 수 있을걸요."

"저도 안다니까요."

도미코는 웃으며 한 손을 든다.

루리코는 당혹스러웠다. 사이는 좋지만 대화가 별로 없는 걸. 마음속으로 덧붙인다. 섹스도 하지 않고. 내가 오늘 어떤 일을 했는지도, 하루오는 알지만 사토시는 알지 못한다. 내가 가장 좋아하는 영화도, 보이는 대로 독파해버리는 추리소설

작가 이름도.

"부부 동반으로 온천에 가고 스키장에 가고, 그런 거 동경하거든요."

도미코는 황홀한 듯 말했고, 루리코는 그저 침묵했다.

어릴 적, 루리코는 우등생이었다. 우등생이라 해도 학급 임원을 맡아 할 만한 타입은 아니었지만, 성적도 내내 좋았고 규칙이나 통금 시간을 어긴 적도, 선생님이나 부모에게 반항한 적도, 야단맞은 일도 없었다.

하지만 그건. 루리코는 눈앞의 도미코를 보며 생각한다. 하지만 그건, 내가 솔직하지 못했기 때문이었을 뿐이야.

아침나절에 보았던 하루오의 부루퉁한 표정을 떠올린다. 상처 입은 마음이 부루퉁한 표정에 그대로 드러났다. 적어도 하루오는 솔직하다고 루리코는 생각한다. 비겁하리만치 솔직하다.

"그래서, 결국 조금 전까지 도미코 씨가 있다 갔어. 같이 비디오로 〈레베카〉 봤어."

양복을 벗고 손과 얼굴을 씻고 입을 헹구면서 사토시는 아내의 하루치 보고를 듣는다.

"조안 폰테인 예쁘더라."

라든지,

"무서운 장면이 나오면 도미코 씨는 정말 숨도 제대로 못 쉰다니까. 딸꾹질 비슷한 소리까지 내면서."

라든지. 보고는 결혼하고서 시작된 변함없는 습관이지만, 이 것저것 너무 많은 것들을 가르쳐주려 하는 루리코를, 사토시는 가끔 배겨내기 힘들어진다. 시호를 만나고 들어온 날이면 사토시는 허위 보고를 한다.

스키장 이야기만 해도 그렇다. 말 꺼내기가 무섭게 어린아이처럼 좋아하니 입장이 난처하다. 나는 스키도 잘 못 타는데 네모토 씨더러 같이 가자고 하지 그래? 예를 들어 그런 대답을 전혀 기대하지 않았다고 하면 거짓말이겠지.

대체 몇 번째 거짓말인지.

사토시는 이미 자신이 거짓말한 횟수를 헤아리기도 힘들 지경이다.

"오늘은 닭고기 전골이야."

아내의 재촉에 식사를 하러 거실로 나간다. 식기가 깔끔하게 세팅된 테이블 위 작은 탁상용 달력에 눈길이 갔다. 스키장에 가기로 한 날짜에 빨간 동그라미가 진하게 그려져 있었다.

렌터카를 이용하는 것은 오랜만이었다. 교통 정체를 피해 하루 전날 밤에 출발했다.

"야반도주하는 것 같다."

루리코는 그런 말을 했다.

"가는 동안 자도 돼."

말은 그렇게 했지만 사토시는 아내가 자지 않으리란 것을 알고 있었다. 미안한 짓을 하는 게 싫은 거다.

미안한 짓.

잠깐만 방심하면 이내 쿵쾅거리기 시작하는 심장 소리가 너무 커서, 옆에 앉은 루리코에게 들리지는 않을까 사토시는 조마조마했다.

미안한 짓.

시호와는 단단히 의논해두었다. 만에 하나라도 아내에게 들키는 일이 없도록.

─두근두근거려요.

엊저녁, 시호는 눈을 반짝이며 그렇게 말했다. 지금 이렇게 핸들을 쥐고 있어도 시호가 뿌리고 나왔던 달콤하고 청결한 향수 냄새가 코끝을 간질이는 듯한 기분이 들었다.

─함께인 거죠?

시호는 몇 번이나 그 말을 했다.

—따로따로 갔다가 따로따로 돌아오지만, 그래도 함께인 거 맞죠?

스스로 용기를 북돋으려는 듯 그렇게 말하는 시호를, 어느새 끌어안고 있었다. 평소 루리코를 '품에 안을' 때처럼이 아니라, 힘껏, 온 맘을 다해.

지금쯤 시호 혼자 심야 고속버스에 타고 있을 것을 생각하니 액셀을 밟는 다리에 힘이 들어갔다. 마치 자신이 조금이라도 빨리 도착하면 시호가 탄 버스 또한 빨리 도착하기라도 할 것처럼.

차 안은 조용하고, 라디오에서는 영어 뉴스가 나직이 흘러나온다.

로지에는 동틀 녘에 도착했다. 달빛과 상야등에 비추인 슬로프가 파르께하게 빛난다.

"역시 춥네."

신발을 벗고 프런트에서 기다리는 동안 루리코가 그렇게 말하자 눈을 보는 것만으로도 피가 들끓는 것 같은 사토시는 유쾌한지 싱긋 웃으며,

"그렇지만."

하고 입을 뗐다.

"낮에 타면 여름같이 더워."

루리코는 곧이듣지 않았다. 인기척 없는 로비를 빙 둘러 본다.

"천장이 높네."

흔하디흔한 응접세트 옆에 먼지를 뒤집어쓴 난로가 놓여 있고, 난로 위 벽에는 무거운 색조의 유화가 걸려 있다.

방에서 몇 시간 눈을 붙였다. 외박할 때면 늘 그렇듯 루리 코는 시트가 청결한지 신경 쓰였지만, 그래도 긴 드라이브 끝 이라 간신히 몸을 누이고 한숨 돌렸다.

하루오를 생각했다.

얼른 도쿄로 돌아가 하루오를 보고 싶다, 고 생각한 것은 아 니다. 사토시 곁에 있을 때면 루리코에게 하루오의 존재는 전 혀 현실감이 없다. 이 세상에 쓰가와 하루오라는 남자가 정말 로 존재하기는 하는지, 천장의 통나무를 노려보며 루리코는 생각했다. 천장의 통나무는 확실히 존재한다.

이미 사토시는 옆에서 자는 숨소리를 내기 시작했다. 루리 코에게 등을 보이고 누워 있다. 루리코도 모로 누워 사토시

어깨에 살며시 한 손을 얹었다. 체온. 얇은 천 너머로 피부와 피부 밑의 지방이며 근육, 혈관, 그리고 뼈대까지 느껴지는 것만 같았다.

루리코는 그대로 사토시 어깨에 얼굴을 갖다 댔다. 사토시의 부드러운 생명의 냄새, 살짝 습기를 머금은 이부자리 냄새. 사토시가 깨지 않게 조심하면서, 루리코는 사토시의 등을 끌어안듯이 몸을 붙였다. 아주 찰싹. 숨을 들이마시고, 내뱉고, 눈을 감았다. 흡족한 동물 같은 기분으로.

아침을 먹고 슬로프로 나갔다. 말도 못하게 눈이 부셨다.

"사토시."

놀란 루리코는 엉겁결에 사토시의 팔을 잡았다.

형형색색의 스키복을 갖춰 입은 스키어들이 이리저리로 미끄러져 내려오고, 전국의 오늘 하루치 햇빛이 여기 다 모였나 싶을 정도인 엄청난 햇살을 일대의 눈이 멋지게 반사하고 있었다.

"선글라스가 세 개 정도는 필요할 것 같아."

루리코는 그렇게 말하고 그늘 없는 창공을 올려다보았다.

스키는 사토시가 자신 있어 하는 몇 안 되는 것 중 하나다. 티셔츠에 청바지 차림만으로도 이 초보자용 슬로프에서는 코치 못지않게 눈에 띈다.

사토시가 잘 가르쳐서인지 본인이 주장하는 만큼 둔하지는 않은 건지, 루리코는 거의 넘어지는 일 없이 순조롭게 네다섯 차례 활강했다. 하지만,

"좀 더 위로 가볼래?"

라는 사토시의 물음에는 고개를 저으며 이제 됐어, 라고 했다. 이 정도면 충분해, 벌써 피곤한걸, 이라고.

"당신은 갔다 와."

예상했으면서도 아내의 순순한 말에 갑자기 마음이 찔렸다.

"됐어, 아직은."

저도 모르게 화난 듯한 말투가 되어, 사토시는 서둘러 덧붙였다.

"좀 더 타자."

하지만 루리코는 난감하단 얼굴을 했다.

"커피 마시고 싶은데."

항상 그렇다. 루리코란 여자는 놀고 있어도 즐거워 보이질 않는다.

"알았어."

사토시는 아내를 로지까지 바래다주었다.

루리코를 찻집에 앉혀놓고 방으로 돌아오자 별안간 심장이 소리를 내기 시작했다. 대체 어쩌다 이런 짓까지 하게 되었는지, 스스로도 알 수 없었다. 다만 되돌리기엔 이미 늦었고, 시호가 보고 싶은 것도 사실이었다.

시호는 같은 로지에 묵고 있다. 프런트에 방 번호를 물어 전화를 걸기로 했다.

찻집은 오두막풍으로 꾸며져 있고, 유리 케이스 안에는 치즈케이크가 진열되어 있었다. 루리코는 커피를 주문하고, 가져온 문고본을 펼치기 전에 잠깐 창밖을 바라보았다. 담배를 한 대 피워 문다.

스키는 4년 만이었다. 4년 전, 자오 스키장에, 역시 사토시와 둘이 갔다. 스키장에서의 사토시는 왠지 다른 사람 같아 보인다. 학창 시절 사토시는 이런 모습이었을까. 일찍이, 우리가 처음 만나기 이전의 사토시는.

"여기 앉아도 되겠습니까?"

목소리가 들려 얼굴을 들어보니 하루오가 서 있었다. 예의 그 온화한 웃는 얼굴로.

루리코는 아무런 대꾸도 할 수 없었다. 하루오는 멋대로 의자를 끌어당겨 맞은편 자리에 앉았다.

"미안."

여전히 입을 떼지 못하는 루리코에게, 하루오는 한 손으로 얼굴을 반쯤 가리고 말했다. 그리고 그 미안하다는 어조와는 반대로 당당하게 덧붙였다.

"하지만 보고 싶었어요."

그러고는 웨이트리스에게 카페오레를 주문한다.

"세상에."

간신히 그렇게 중얼거린 루리코는 뒤를 돌아보며 사토시가 아직 오지 않은 것을 확인했다.

"무슨 짓이야, 너."

진심으로 타박할 생각이었는데 목소리에 긴장감은 없었다. 웃음을 보이지 않은 것만도 다행이었다. 반가운 하루오.

"보고 싶었어."

말이 멋대로 입을 타고 나왔다.

"보고 싶었어. 너무 보고 싶었어."

말에 이어 봇물이 터지듯 감정이 흘러넘치고, 루리코는 자리에서 일어나 하루오 목에 팔을 둘렀다.

"어쩜 좋아, 너무 보고 싶었어."

백번이라도 말할 수 있을 것 같았다.

"아냐, 보고 싶었던 게 아니라⋯⋯."

루리코는 다음 말을 찾았다. 하루오가 눈앞에 나타나기 전까지 하루오가 보고 싶단 생각은 들지 않았다.

아니라 뭐? 하루오가 눈으로 묻는다. 루리코는 답답한 심정으로 하루오를 바라보았다. 보고 싶었다는 말 외에 달리 할 말이 없었다. 여태 어디 있었던 거야, 왜 나를 혼자 내버려둔 거야.

"깜짝 놀랐어."

그 대신 루리코는 그렇게 말했다.

"보니까 기쁘다."

라고.

"작은 스키장이네."

하루오는 싱긋 웃으며 말했다.

"리프트도 일고여덟 개밖에 없지 않아요?"

그런 말을 들어도 루리코는 그게 얼마만큼 적은 수인지 알 길이 없다.

"타러 안 나가요?"

루리코가 누구랑 와 있는지 모르는 것처럼 하루오는 물었다.

"가르쳐줄게요. 나, 스키 제법 타요."

"이미 타고 왔어. 오늘은 끝."

대답하면서 루리코는 스스로 놀란다. 조금 전까지 사토시와 함께 탔던 것이다. 그런데도 그것이 누군가 다른 여자의 이야기처럼 느껴진다.

"그럼 방으로 가요."

하루오는 카페오레를 홀짝이고 나서 말했다.

"내 방으로 가요."

라고. 루리코는 눈을 휘둥그레지게 떴다.

"여기서 묵으려고?"

하루오는 오늘 처음으로, 진짜 미안한 듯한 얼굴로 대답했다.

"달리 방이 없었거든요."

"그 말을 믿으라고?"

루리코는 기가 차다는 얼굴로 다시 한 번 말했지만, 말을 꺼내면서 이미 믿을 수 있었고, 자신들 두 사람에게 자신들 두 사람용 방이 있는 것이 당연하다고 생각되었다.

사토시가 다시 슬로프로 나왔을 때, 태양은 약간 서쪽으로 이동하고 있었다. 찻집을 들여다보았으나 아내의 모습은 없고, 방으로 돌아와 보니 산책하고 오겠다는 메모가 침대 위에 놓여 있었다.

"가는 거야!"

시호는 신이 나 있다. 리프트를 갈아타고, 혹 루리코가 슬로프에 나와 있다 해도 여기까지는 오지 않겠지, 하는 곳까지 이르자 사토시는 시호와 손을 맞잡았다. 배낭에는 시호의 방 냉장고에서 가져온 캔 맥주 두 개가 들어 있다.

사토시가 방을 찾았을 때, 시호는 문을 닫기가 무섭게 부둥켜안았다. 어제부터 내내 설레었다, 내 방을 찾아주지 않으면 어쩌나 걱정이 되어 혼났다, 혼자 심야 고속버스를 타고 오는데 죽을 만큼 허전하더라……. 잇달아 시호의 입을 타고 나오는 말을, 사토시는 천천히 입술로 막았다.

침대는 눈앞에 있고, 모든 것이 너무나 순조롭게 진행되었다. 처음 본 이후 정말 오랜 시간이 걸렸지만, 마치 이렇게 될 것을 학창 시절부터 알았던 것처럼 생각되기도 했다. 시호는 사토시가 잊고 있던 무언가였다. 그 무언가를 떠올리고 싶어서, 사토시는 열과 성을 다해 시호의 몸을 정복했다. 정복. 그 말이 딱이었다. 시호는 순순히 그것을 받아들였다.

첫 활강 도중, 사토시는 눈 속에 캔 맥주를 묻었다. 위치를 표시하려고 조그맣게 눈 더미를 만들자 시호는 그 위에 작은 눈 뭉치를 포개더니,

"눈사람."

하고 말했다.

물론 사토시에게는 못 미치지만, 시호의 스키 실력은 제법 괜찮은 편이었다. 무엇보다 시호는 함께 타고 싶어 했다. 어디가 됐든 따라오려고 했다.

두세 차례 타고 나자 온몸이 땀으로 흠뻑 젖었다. 슬로프는 청결하고, 모든 것이 조화로웠으며, 사토시는 자기 몸의 질량을 즐겼다. 마치 세계가 한순간에 해방감과 질서를 되찾은 것 같았다.

"더는 못하겠다. 선배 정말 대단해요."

그렇게 말하는 시호의 얼굴도 쾌적함 그 자체였다.

눈사람 옆에서 맥주를 마시노라니 햇살이 완전히 기울었다. 스키 플레이트 두 개를 교차시키는 모양새로 눈 속에 깊이 꽂아 세우고, 바인딩에 폴을 걸쳐 즉석 의자를 만들었다. 땀이 밴 피부를 바람이 간질이고 지나간다.

"꿈처럼 맛있다."

얼굴이 발그스름해진 시호가 말하고, 사토시는 대답 대신 다시 입술을 막았다. 이 시간을 공유한 것만으로도 시호는 자신의 인생에 특별한 존재라고 여기면서.

구조는 자신들의 방과 다를 바 없는데, 루리코에게는 전혀 다른 분위기로 다가왔다. 크게 도려낸 창문, 희고 얇은 무미 건조한 커튼, 보란 듯 아낌없이 쓰인 목재, 의자 등받이에 걸린 하루오의 스웨터.

눈이 반사되어 실내에도 빛이 흘러넘친다. 행위는 평소 도쿄에서 할 때보다 한층 격렬하고 거침없었다. 여러 체위를 시도했다. 환한 방 안에서.

떠올리며 루리코는 피식 웃었다. 자신이 그런 자세를 취하리라고는 생각조차 해본 적이 없었다. 하루오가 내뿜는 담배 연기가 루리코의 코끝을 천천히 감돌아 나간다.

—그런데.

어제, 사토시가 흐뭇한 기색으로 했던 말이 떠올랐다.

—낮에 타면 여름같이 더워.

루리코는 속으로 생각한다. 스키 탈 때는 땀이 안 났는데,

낮에 하니까 여름같이 덥네.

"도저히 오지 않고는 견딜 수 없었어요."

하루오가 말했다.

"화내지 말아요."

라고.

"왜 화를 내? 기뻤어, 아주 많이."

루리코는 말하고, 하지만 그만 가봐야 한다고 덧붙였다. 사토시가 찾고 있을지도 모른다.

─낮에 타면 여름같이 더워.

루리코는 미소 짓는다. 사토시는 지금쯤 어린아이처럼 땀을 흘리며 스키를 타고 있을까. 속옷을 주워 입으려는데 하루오가 뒤에서 끌어안았다. 목덜미를 부비는 코가 느껴진다.

"이 이상 바라면 당신을 잃을지도 모른다는 공포를, 당신은 알 턱이 없겠지."

하루오는 그런 말을 했다.

"가야 해."

루리코는 거듭 말한다.

"사토시는 창이야."

끌어안긴 채 말했다.

"사토시는 나의 창이야."

"어서 와요."
아내는 여느 때처럼 그렇게 말하고 나서 물었다.
"재밌었어?"
목욕을 마쳤는지 욕실 거울에 김이 서려 있다. 루리코는 어디에 있든 변함이 없다.
"그거 얼른 벗는 게 좋겠다. 감기 들겠어."
재촉하는 대로 옷을 벗으면서 사토시는 자신을 배신자라고 생각했다. 만약 당신이 바람을 피운다면, 나는 그 자리에서 당신을 찔러 죽일 거야. 언젠가 그렇게 말하던 루리코의 진지한 눈빛을 떠올린다.

밤

복합 빌딩 3층에 자리한 요리 주점에서 생맥주잔을 한 번에 몇 개씩이나 나르는 하루오의 손놀림에 위태로운 기색은 전혀 없었다. 바지런히 일하는 하루오는 동작이 날래고 활기차서 보는 사람까지 기분이 좋아진다. '요리사가 되려는 것은 아니므로' 여전히 온갖 잡다한 일─손님 신발을 정리하거나 주문을 받고, 맥주를 나르고 계산을 하고, 돌아가는 손님을 위해 엘리베이터 버튼을 눌러주는—을 맡아 하지만, 요리사 둘과 여주인 한 명뿐인 작은 가게이다 보니 하루오는 아마도 의지가 되는, 언제까지고 있어주었으면 하는 귀중한 일손이리라. 초록이 선명한 누에콩 하나를 입으로 가져가며 루리코는 생각한다. 하긴 하루오 본인에게는 이 일에 하루하루 경제 이상의 의미나 가치는 처음부터 없고, 그저 실수 없이 처리해낼 뿐이다.

하루오는 늘 그렇다고 루리코는 생각한다. 사토시나 자신과 달리 대부분의 일을 능숙하게 소화해낸다. 일도 사랑도.

"타이틀은 이번에도 〈이와모토 루리코의 세계〉예요."

옆에서 후지이 도미코가 말했다.

"지난번 전시회에 대한 보고랄까, 베어들 사진과 각각의 프로필, 베어에 대한 루리코 씨의 에세이, 이건 ××씨에게 부탁한 거고요, 그리고 왕복 서간."

업무 협의차 루리코는 가끔 이 가게를 이용한다. 그럼 하루오와 한 번이라도 더 만날 수 있고, 하루오를 조금이라도 더보고 있을 수 있기 때문이다.

"왕복 서간?"

"네. 독자들은 루리코 씨의 사적인 부분에도 관심을 보이니까, 친구와 주고받은 편지 같은 것을 실으면 좋지 않을까 싶어서요."

도미코는 참 여러 가지 것들을 고안해낸다고, 루리코는 늘 감탄한다.

"그리고 가능하면 어릴 때 사진을 몇 장 얻으면 좋겠는데."

루리코는 찾아보겠다고 약속했다.

소고기 뱃살과 다진 오크라―이 집 메뉴 중에서 루리코가 마음에 들어 하는―를 안주 삼아 맥주를 비우고 시계를 보니 8시였다. 사토시는 이미 집에 들어왔을 테지.

"그만 가봐야 할 것 같은데."

루리코 말에 도미코는 "네." 하고 대답하고 계산서에 손을 뻗었다. 하루오에게 눈짓하자 저만치 서 있던 하루오는 누가 보든 말든 상관 않고, '벌써 가게요?' 하는 표정을 지어 보였다.

"가야지."

루리코는 다시 한 번―이번에는 도미코에게 하는 말이 아니라 혼잣말처럼―중얼거리고 일어선다. 무더운 6월 밤이다.

이번 스키 여행에서 루리코에게 신선함을 안겨준 것은 하루오가 아니라 오히려 사토시였다. 물론 그날 찻집에 하루오가 나타났을 때는 깜짝 놀랐고, 참 어린애 같은 짓을 한다 싶어 어처구니가 없기도 했지만, 보고 싶었다고 말하는 하루오의 솔직함은 바로 루리코 자신의 심정이기도 했다. 보고 싶었다. 그리고 만났다. 살갗을 느끼고 싶었다. 그래서 옷이고 뭐고 바로 벗었다. 무척 자연스러운 일이었다.

저녁 무렵 방으로 돌아온 사토시는 두 뺨이 상기되어 있었다. 실컷 타서 만족스러운지 기분이 좋아 보였다. 평소보다 말도 훨씬 많아져, 그 모습이 마치 처음 만났을 무렵의 사토시 같았다.

처음 만났을 무렵. 루리코는 신기한 기분으로 떠올린다.

비행기 안에서 우연히 옆자리에 앉게 되었던 그날. 말은 사토시 혼자 다 했다. 조심스럽게 말을 걸어오더니 여행에 대해 묻고, 도쿄 생활에 대해 묻고, 자신의 여행에 대해 이야기하고, 그리고 취업한 회사에 대해 이야기하고, 뭔가 마실 것을 가져올까 묻고, 추우면 담요를 한 장 더 받아 올까 묻고, 한마디로 시끄러웠다.

하지만 그 모든 행동은 이른바 '작업'으로 부르기엔 지나치게 솔직 담백한 데다 무척 열심이었고, 서툴렀다.

사토시는 그날, 루리코가 낀 반지―애너벨라가 만든 비즈가 박힌─를 예쁘다며 칭찬하고, 짐이 적은 것을 칭찬하고, 혼자 여행하는 것을 겁내지 않는 용기를 칭찬했다.

전화번호를 묻기에 가르쳐주었고, 그것을 후회한 적은 한 번도 없다. 열심히 전화를 걸어서는 식사며 드라이브를 제안하는 사토시가 딱히 좋은 건 아니었지만 싫지도 않았다. 딱 1년 전 요맘때 불쑥 자신의 인생에 나타난 하루오를 딱히 좋아하지도 싫어하지도 않았던 것과 마찬가지로.

시부야 역에서 후지이 도미코와 헤어져 지하철을 탔다. 늦게 들어간다고 해서 사토시가 뭐라 하는 것도 아닌데, 사토시가 집에 와 있을 거라 생각하면 루리코는 마음이 급해진다. 사토시는 루리코가 집에 있어도 혼자만의 시간을 보내고 싶어 하면서, 집에 혼자 있는 건 또 무척 싫어한다. 루리코는 그것을 알고 있다.

만남을 시작하고 시간이 지나면서, 사토시가 겉보기와 달리 사교적이지 않다는 것을 알게 되었다. 오비히로의 가족도, 학교 때 친구들도, 사토시의 내부에 제대로 닿아 있지 않은 듯 보였다. 아니면 적어도 명백하게 사토시는 그것을 거절하고 있었다. 아이 같은 옹고집으로.

그때 마음이 흔들렸던 것이다. 전철 문이 열리고 플랫폼으로 나오면서 루리코는 떠올린다. 의지가 되고 필요한 존재. 우리는 아마도 마이너스 요소로만 맺어져 있지 싶다.

집에 돌아와 보니 사토시는 자기 방에서 컴퓨터 자판을 두드리고 있었다.

"미안. 곧 밥 차릴게."

루리코가 말하자 사토시는 모니터에서 눈을 떼지 않고,

"응."

하고 대답한다.

"도미코 씨랑 같이 있었어. 시부야에 있는, 왜 있잖아 쓰가와 씨가 일하는 가게. 거기 있었어."

"응."

"맛있는 고기 안주가 나와. 가격도 별로 안 비싸고, 아담하니 분위기가 괜찮아."

루리코는 일방적으로 보고한다. 사토시가 귀담아듣고 있지 않다는 것도, 그러나 아예 안 듣는 건 아니라는 것도 알고 있었다.

우리 남편 사토시다.

루리코는 마음속으로 생각했다. 우리 남편 사토시다. 스키장에서 잠시 잠깐 돌아온 것 같았던 옛날의 사토시는 다시 어디론가 가버렸다.

　미우라 시호의 몸은 끌어안으면 놀랄 만큼 부드럽다. 키보드를 두드리면서 사토시는 낮의 기억을 되새긴다. 그 부드러움은 사토시를 불안하게 하고, 동시에 행복하게 한다.

　시호는 쉬는 날이면 단 한 시간을 위해 사토시의 회사 근처로 찾아온다. 무미건조한 빌딩가로.

　시호 런치. 시호는 그 방문을 스스로 그렇게 부른다. 말 그대로 점심 도시락을 싸 들고 오는 것이다. 손수 만든 도시락일 때도 있고, 근처에서 산 주먹밥이나 햄버거일 때도 있다. 파는 음식이 사토시 입맛에 맞는다는 것을 터득했는지, 요즘에는 사 올 때가 많다. '백화점 지하 식품 매장'에서 골라 사 온다고 했다. 시호의 그런 점이 사토시는 좋았다. 시원시원하고 합리적인 면이.

　하긴 최근―이라 하면, 요컨대 5월 연휴에 다녀온 스키 여행 이래―에는 점심을 못 챙겨 먹을 때도 있다. 먹을 짬이 없어서.

　지금까지 무심코 보아 넘겼는데, 무미건조한 사무실 밀집

지역에도 러브호텔은 조용히―하지만 의외로 여기저기에―자리하고 있었다.

―분명 너무 다른 거예요.

낮인데도 부끄러워하는 기색 하나 없이 시호는 그렇게 말했다.

―선배 부인, 다 같이 시끌벅적하게 떠드는 거 싫어하죠? 캠프 같은 거요. 얼마나 즐거운데. 스키도 테니스도 싫어하고, 노래방 같은 데 가는 거 경멸하죠?

―딱히 경멸하는 것 같진 않은데.

사토시는 그렇게 말했지만 본질적인 부정은 아니었다.

―너무 다르면 힘들죠.

시호 말에 다른 뜻은 없고, 사토시도 그런 생각이 없지 않아 있었다. 하지만 한편으론 자신과 루리코의 유사성에 대해, 시호는 절대 알지 못할 그 유사성에 대해 생각하지 않을 수 없었고, 그러자 시호를 기만하는 듯한, 시호에게 몹쓸 짓을 하는 듯한 기분이 들었다.

"밥 다 됐어요."

휴대전화로 루리코의 호출을 받은 사토시는 "네." 하고 대답하고 거실로 나간다. '낮에 만들어두었다'는 비프스튜에는 사토시가 싫어하는 녹황색 채소가 형체도 그림자도—물론 냄새도—찾아볼 수 없을 만큼 푹 삶아져 있는 데다, 사토시가 좋아하는 고기와 감자와 양파는 큼직큼직하니 듬뿍 들어 있었다.

바람이 강한 화창한 일요일, 사토시는 루리코의 채근에 근처 공원으로 산책을 나갔다.

"녹음이 예쁘다."

루리코가 나무들을 올려다보며 기쁜 듯 말했다.

"곧 여름이 오겠네."

여름은 사토시가 좋아하는 계절이다. 여름이 오면, 하고 사토시는 생각한다. 여름이 오면, 시호를 데리고 바다에 가자. 틀림없이 기뻐하리라. 고등학교 때 수영부였다니 예쁜 폼으로 헤엄칠지도 모른다.

"무슨 생각해?"

루리코가 물었다.

"그냥."

이라고 대답하는 사토시를 보며, 루리코는 행복한 듯 생긋 웃는다.

"왜?"

이번에는 사토시가 물었다.

"그냥. 당신이 흐뭇한 얼굴이라 나도 덩달아 기분이 좋아졌어. 날씨도 좋고."

사토시는 죄악감이 얼굴에 드러나지 않길 기도했다. 루리코와 함께 있는 동안에는 시호를 마음에서 내몰아야 한다고 생각한다.

"봐봐, 장미원이야."

루리코는 말하고, 빨갛고 노랗고 자그마한 장미들이 가지런히 피어 있는 일대를 걸어간다.

산책은 만족스러웠다. 콘크리트로 만든 작은 산 모양 놀이기구에 올라가고 싶다면서 올라가더니, 혼자서는 내려오지 못하는 루리코에게 손을 빌려주었고―시호라면 이런 놀이기구쯤 식은 죽 먹기려니 생각했지만 물론 내색은 하지 않았다―, 벤치에 앉아 캔 주스를 반씩 마시고, 바람이 강해 담뱃불을 못 붙이는 루리코를 위해 바람을 막아주고―시호는 담배 같은 건 피우지 않는다―길을 일부러 돌아 루리코가 좋아하는 개가 있는 집을 보고 돌아왔다. 피곤했지만 기분은 좋았고, 루리코도 즐거워하는 것 같았다.

"산책은 좋은 거야, 그치?"

맨션 입구에서 루리코는 그렇게 말했다.

그다음 주, 사토시는 시호를 세 번 만났다. 두 번의 '시호 런치', 그리고 금요일 밤이다. 너무 자주 만난다 싶었지만 자제할 수 없었다.

세 번 만나면서 그중 두 번 잠자리를 가졌다. 소녀 같은 겉모습과 어울리지 않게, 시호는 대담한 섹스를 한다(몸이 유연해서 어떤 체위든 가능해요, 라고 나중에 말했다. 변명하듯이). 입술과 혀 놀림이 예사롭지 않아 그만 신음을 흘리자, 시호는 재미있다는 듯 쿡쿡 웃었다. 사토시의 아랫배에 얼굴을 묻은 채. 그러다 마지막 순간에는 그 기세가 조용히 잦아들면서, 아이처럼 매달렸다.

시호의 쾌활함은 자신의 생활에 없어서는 안 될 작은 냇물이라고 사토시는 생각한다. 이 냇물만 있으면 루리코의 섬세함을 지킬 수 있을 것 같았다.

같은 주, 루리코는 하루오를 네 번 만났다. 네 번 만나면서 그중 두 번 잠자리를 가졌다. 만날 때마다 '여기 돌아올 수 있었구나' 하는 생각이 들면서 밤이 오는 게 두려워지고, 그러나 막상 그 밤이 찾아오면 '돌아가야 한다'는 말을 입에 올렸다.

"벌써 가요?"

침대 안에서 하루오가 물었다.

"남편분 오늘 늦잖아요."

사토시는 전근 가는 동료 직원 송별회가 있다고 했다. 늦어질 것 같다고. 금요일이다.

"그럼 아직 괜찮잖아요, 겨우 8시인데."

왜 집에 돌아가고 싶어지는지, 루리코 자신도 도무지 알 수 없었다.

"미안해."

그래서 그렇게 말했다.

"여긴 너무 편해."

침대를 빠져나와 생각하면서 설명한다.

"여기 있으면, 옛날 일이 떠오르고 말아."

옛날, 사토시 없이도 아무렇지 않았던 시절의 일이.

"그래서 걱정이 되나 봐."

"걱정?"

하루오가 고개를 갸우뚱한다.

"지금 돌아가지 않으면 영영 못 돌아갈지도 몰라. 그게 두려워서 가는 거야."

"그럼, 못 돌아가면 되겠네."

말을 꺼내기 무섭게 하루오는 막무가내로 루리코를 끌어당겨 안았다.

"돌아갈 수 없다면, 안 돌아가면 돼."

대꾸할 틈도 없이 하루오의 입술이 루리코의 입술을 덮었다.

사토시가 집에 돌아와 보니 루리코는 아직 안 자고 일을 하고 있었다.

"어서 와요."

현관문을 잠그며 말한다.

"애너벨라한테 편지 썼어."

애너벨라와 주고받은 편지를 일본어로 옮겨 잡지에 싣는다고 한다.

"그래? 재밌겠네."

예의상 그렇게 말했다.

"어땠어, 송별회는?"

즐거웠냐는 둥 뭘 먹었냐는 둥 여느 때와 다름없는 질문에 사토시는 하나하나 신중히 대답했다. 신중히, 그리고 매끄럽게. 평소대로 루리코는 그 하나하나에 귀를 기울이며 고개를 끄덕이고는, 사토시가 이야기를 마치자,

"안아줘."

라고 했다. 그러더니 품 안에서 눈을 감고 다시 한 번,

"어서 와요."

라고 말했다. 청바지에 하얀 티셔츠, 하얀 카디건 차림의 루리코는 안으면 배향이 난다. 처음 만났을 때부터 줄곧 변함없는 향이다. 평소에는 거의 느끼지 못할 정도로 옅어서, 그것이 향수나 샴푸 냄새의 일종인지 루리코의 체취인지, 사토시로서는 판단하기 어려웠다.

"나도 조금 전에 들어왔어."

품 안에서 빠져나오며 루리코가 말했다.

"하얀 보름달 떠 있던데, 봤어?"

사토시가 못 봤다고 대답하자 옆집 마당으로 난 창문을 열고 말한다.

"봐봐."

사토시는 시키는 대로 했다. 6월의 밤공기는 촉촉이 젖어

있고, 옆집 마당에 핀 치자꽃의 달콤한 향기가 감돌아 온다.

"밤이 되면 모두 집으로 돌아가잖아. 참 묘한 일인 것 같아."

여전히 밖을 보며 루리코가 말했다.

"맨션 창의 불빛들을 보고 있으면 말이지, 저 한 집 한 집마다 제각기 사람들이 찾아 들어가다니 신기하다 싶어."

사토시도 키가 그리 큰 편은 아니지만 루리코는 좀 더 왜소해서, 정수리가 사토시 턱 부근에 온다. 그렇게 서로 포개듯이 서서, 하얀 보름달이 떠 있는 하늘을 보았다. 여기서 조용히 자신을 기다린 아내가 사랑스럽게 느껴졌다.

"낮에는 밖에 나가서 일을 하거나 이런저런 생각을 하고 간혹 바람을 피우더라도 밤이 되면 각자 집으로 돌아오잖아. 참 신기한 것 같아."

사토시는 얼어붙고 말았다.

"목욕물 받아놨으니까 하고 싶을 때 해."

루리코의 그 말에도 한동안 창가에서 움직이지 못했다.

거짓말

미우라 시호와의 관계는 놀랍도록 순조로웠다. 시호는 쾌활하고 솔직한 데다 함께 있으면 왠지 모르게 마음이 차분해졌다. 점심시간에 남들 눈을 피해 짧은 데이트를 거듭하고, 잔업이니 회식이니 핑계를 대고 퇴근 후 시간을 아쉬운 듯 공유하는 것은 행복한 일이었다. 그럴 때면 밤거리는 어디까지나 사토시와 시호 편이었고, 주변에 넘쳐나는 모든 이들이 신기하게도 남 같지 않게 느껴졌다.

　간단한 일이었다고 사토시는 생각한다. 일찍이 세상은 분명 이런 식으로 펼쳐져 있었다. 사토시는 자유로웠고, 지금도 물론 자유롭다. 잊고 있었을 뿐.

　"루리코."

　사토시는 눈앞에서 곰의 팔에 솜을 채워 넣는 아내에게 말했다.

　"오늘 밤에, 오랜만에 외식할까?"

　"외식?"

　루리코는 일하던 손을 멈추고 얼굴을 들더니, 오늘따라 어쩐 일이냐고 했다. 곰의 팔은 기묘하게 현실감 넘치는 모양새로 루리코의 손안에서 울부짖는 듯했다. 얼른 완성해달라는 듯.

　"응. 지난번에 회사 동료랑 갔던 가게가 꽤 괜찮더라고."

　아오야마에 있는 그 이탈리아 식당에는 회사 동료가 아닌 시호와 함께 갔었다. 단둘이 식사한다는 즐거움에 시호가 사랑스러워 보인 것도 지금은 문제가 되지 않았다. 한 접시당 양도 그리 많지 않고, 채소를 사용한 요리가 많고, 파스타는 가늘고 쫄깃쫄깃했다. 루리코가 마음에 들어 할 만한 가게라고, 사토시는 그때 머리 한구석으로 분명 그렇게 생각했고,

중요한 것은 그 점이었다.

"멋져."

생긋 웃으며 루리코는 말했다.

루리코는 가게가 마음에 드는 눈치였다.

"예쁘네."

천사를 모티브로 한 내부 장식 하나하나에 관심을 보이며 감탄하고는, 메뉴를 음미하고, 주문한 요리를 맛있게 먹었다.

시호와 함께 왔던 가게에 루리코를 데려오는 행위는 시호에게 못할 짓일까 루리코에게 못할 짓일까. 아마도 양쪽 모두에게 못할 짓이지 싶었지만 사토시에게는 죄책감이 피부에 와 닿지 않았다. 이제는 두 여자 모두 소중했다.

그렇더라도. 사토시는 특이한 향초를 얹어 석쇠에 구운 생선을 쑤석이면서 생각한다. 그렇더라도, 가게 느낌이 지난번과는 많이 다르다. 구체적으로 어디가 어떻다는 것은 아니지만, 전반적인 분위기가 지난번이 훨씬 아름답고 조화로웠던 것 같다. 아름답고, 그리고 따스했다. 주위 모든 사람이 시호와 자신을 축복해주고 있다는 느낌마저 들었다. 가게 안만 시간이 멈춘 듯했다.

"별로 안 먹네?"

루리코가 말했다. 베이지색 블라우스에 검정 바지 차림인 루리코가 갑자기 아주 먼 여자로 느껴졌다.

"무슨 말이든 좀 해봐."

그러나 사토시는 할 말이 하나도 없었다.

사토시는 말이 없다. 변변히 먹지도 않는다. 그것은 어제오늘 시작된 일은 아니다. 가게를 나와 역까지 걷는 동안, 루리코는 그것에 대해 되도록 생각하지 않으려 했다. 하루오와 식사할 때와 같은 행복을 사토시에게 바라는 것은 잘못이다. 사토시는 온화하다. 사토시는 성실하다. 그건 루리코도 알고 있었다.

발매기에서 승차권을 구입하고 개찰구를 통과한다.

"손잡아도 돼?"

루리코는 말하고, 사토시 손에 손가락을 얽었다.

그러나 지하철 창문에 비친 자신들의 모습은, 한없이 서먹서먹하고 쓸쓸해 보일 뿐이었다.

월요일.

화이트와 블루로 통일된, 곰 열다섯 마리가 지켜보는 침실에서 사토시는 드물게 눈을 반짝 떴다. 월요일이다. 눈을 뜨자마자 그 생각부터 들었다. 몸 안에서 작은 힘이 솟아나는 기분이었다. 월요일이다.

시호가 보고 싶었다. 여기도, 회사도 아닌 장소로 가고 싶었다.

어젯밤, 돌아오는 지하철 안에서 시호를 생각했다. 곁에 루리코가 있었지만 그것과 시호를 생각하는 것은 완전히 별개였다. 8시 반. 시호는 아직 유원지에서 일하고 있을 시간이었다. 사토시는 밤의 유원지를 생각했다. 형형색색의 조명이며 팝콘을 파는 이동식 차량이며 음악 따위를.

그때 사토시는 당장이라도 시호를 보러 가고 싶었다. 자신이 갑자기 나타났을 때의, 시호의 놀란 얼굴이 어른거렸다. 놀라고, 점차 진심으로 기쁘다는 듯 변해가는 얼굴이.

월요일이다. 시호는 틀림없이 오전 중에 전화를 걸어오리라. 점심시간, 아니면 저녁때 '잠깐이라도 보고 싶어요'라고 말하겠지. 달콤하게, 최대한 감정을 억제하려는 목소리로.

학창 시절부터 월요일은 으레 우울한 날로 알고 살아왔다. 그런 자신이 월요일을 손꼽아 기다리게 될 줄이야. 화장실에서 볼일을 보던 사토시는 왠지 모를 흐뭇함에 쓴웃음을 지었다.

사토시는 매일 아침 양치 후에 거울을 들여다보며 잇몸을 살핀다. '건강한 핑크빛'임을 확인할 필요가 있단다. 루리코는 매일 아침 그 모습을 바라본다. 뒤에서 꼼짝 않고. 무언가 인간 이외의 동물—곰이나 고릴라 같은—의 생태를 관찰하듯이.

그러고서 말을 건다.

"잘 잤어?"

커피를 내올 타이밍을 노리면서.

하루의 시작. 이런 일상에 불만은 없다고 루리코는 생각한다. 쓸쓸함은 아마도 인간이 안은 근원적인 문제이지 사토시 탓은 아닐 것이다. 자기 스스로 대처해야 하는 것이지 누군가가—설사 남편이라도—구원해줄 수 있는 성격의 문제는 아닐 것이다.

하지만. 사토시가 좋아하는 복숭아를 깎으면서 루리코는 생각한다. 하지만 그렇다면, 하루오와 함께 있을 때 쓸쓸하지 않은 것은 대체 어떻게 설명할 수 있을까. 그토록 충만감에 사로잡히고 마는 것은.

"귀여운 곰이네."

테이블로 다가서며 사토시가 말했다.

"신작이야?"

수수한 핑크와 빨강, 오렌지색이 섞인 올이 성긴 울 베어. 시작품으로 엊저녁에 완성해 의자에 앉혀두었다.

"이런 베어가 좋아?"

사토시가 루리코의 베어에 대해 의견이나 감상을 말하는 것은 드문 일이라, 기쁜 마음에 그렇게 물었다.

"좋다기보다……."

사토시는 난감한 듯 우물거렸다.

"전문적인 것은 잘 모르지만."

이번에는 루리코가 난감할 차례였다.

"전문적인 것?"

되물으니 사토시는 더욱 난감한 표정을 지었다. 커피를 절반 마시고 복숭아를 한 조각 입에 넣고는 일어선다.

"다녀오겠습니다."

사토시는 아침을 거의 먹지 않는다. 하지만 그것은 어제오늘 시작된 일은 아니다.

"잘 다녀와요."

현관까지 따라 나온 루리코는 사토시의 목에 팔을 둘렀다. 사토시는 경직된 자세로 서서 아내가 떨어져 주길 기다렸다가, 다시 한 번 "다녀오겠습니다."라 하고서 문을 열었다.

루리코는 닫힌 문 안쪽에 오도카니 남겨진다.

세 시간 일을 하고, 일을 하면서 저녁상에 올릴 돼지갈비찜을 했다. 온 집에 팔각 냄새가 가득하다. 팔각이라는 별 모양 향신료를 루리코는 좋아한다. 홍콩에 와 있는 듯한 기분이 든다. 홍콩에 가본 적은 없지만. 마른 냄새. 어딘지 모르게 그립고 농밀한 냄새다.

정오. 루리코는 팔각 냄새 가득한 집에서 애너벨라에게 전화를 건다. 버밍엄은 지금 새벽 3시다.

어쩐지 감이 멀게 느껴지는 불안한 발신음.

"Hello?"

애너벨라는 Hello를 헬로가 아니라 헬로우로 발음한다. 어떤 땐 헷로우, 라고도.

"여긴 맑은데, 거기도 맑아?"

한 박자 늦게, 쓴웃음이 묻어나는 낮은 목소리가 대답했다.

"응, 별이 떴어."

"지난번엔 고마웠어, 일에 협조해줘서."

루리코 말에 애너벨라는 천만에, 라고 대답했다.

"그래서, 도움이 됐어?"

"응. 네 글씨체가 워낙 예뻐서 시각적으로도 분위기 있어 보이고. 잡지는 받았어?"

"받았어. 네 사진이 실려 있더라."

후지이 도미코가 만드는 잡지에 애너벨라와 주고받은 편지 글을 실었다.

"애인은 잘 지내?"

애너벨라가 물었다.

"잘 지내."

짧은 틈이 생긴다.

"남편 얘기는 안 물어?"

루리코 말이 떨어지기 무섭게 애너벨라는 안 물어, 라고 대답했다. 다시 틈이 생기고, 두 사람 다 피식 웃음을 터뜨렸다.

"우습다."

루리코가 말했다.

"네 애인은 잘 지내?"

"잘 지내."

"결혼은 안 할 거야?"

"안 해."

애너벨라의 대답은 늘 짧다.

내가 그 사람이랑 잔 거 알아? 불현듯 그렇게 묻고 싶은 충동에 사로잡혔다. 하지만 사랑은 아니었어, 그것도 알아?

"하루오라고 해."

루리코는 이름을 말했다.

"하루오?"

되뇐 애너벨라의 발음은 거의 아루오로 들렸다.

"그래."

그 이름이 애너벨라에게 중요하지 않다는 것은 알고 있었다. 그래도 알리고 싶었다. 내가 좋아하는 남자의 이름은 하루오야, 라고. 적어도 버밍엄에는 그것을 당당히 밝히고 싶었다.

미우라 시호는 사토시가 생각했던 귀여운 모습으로, 그리고 생각했던 것보다 기쁜 낯으로 나타났다. 지금 지하에 와 있어요, 라고 전화를 걸었던 그 전화박스에 기대어 서 있었다. '시호 런치'를 지참하고. 사무실이 빼곡한 거리의 점심 햇살 속에서, 눈부시게 미소 지으며.

"주말 내내 보고 싶어서 보고 싶어서 보고 싶어서 죽는 줄 알았어요."

나란히 걸으면서 '보고 싶어서'라는 말을 세 번이나 반복했다.

"선배가 나를 너무 내버려두니까."

농담조로 불만을 말한다. 티셔츠에 카고 바지 차림인 시호는 꼭 학생 같았고, 사토시에게는 그저 눈부실 따름이었다.

"이거 유감인걸. 내버려진 건 오히려 난데."

가볍게 받아치면서 분수 옆에 앉았다.

"보고 싶었어."

사토시는 새삼 말하고, 자신의 목소리가 묘하게 촉촉하게 울린 것에 놀라면서 시호의 매끄러운 머리카락을 만졌다.

책이며 비디오테이프를 쌓아둔 어수선한 방 안에 그곳만 고요하게, 하얀 터키 도라지꽃이 꽂혀 있다. 미야코가 꽂꽂이 해둔 것임을 루리코는 알고 있다.

"여긴 남의 집인데."

루리코는 말하면서 창문을 열었다. 냉방으로 차가워진 공기를 놓치고 미적지근한 저녁 바람을 맞는다.

"어째서 편안할까."

"이리 와요."

침대 안에서 하루오가 불렀다.

"안 돼. 이미 옷 다 입었는걸."

"또 벗으면 되지."

딸깍하고 라이터 켜는 소리가 났다. 루리코가 돌아보며 말했다.

"무슨 말이든 해봐."

"뭘?"

하루오는 담배를 피워 문 채 되묻고, 그 "뭘?"은 웅얼거리는 것처럼 들렸다.

"그거, 너무 좋아."

루리코는 말하고, 빨려 가듯 침대로 다가가 하루오의 맨 어깨를 끌어안았다.

"네가 담배를 물고서 뭔가 말하는 거 너무 좋아. 그때의 입매도, 매운 듯 찡그리는 눈썹도, 담배를 입에서 뗐을 때 후우, 하고 내뱉는 연기도."

덮쳐누르듯이 하루오에게 기댄 루리코를, 하루오는 담배를 쥔 손으로 당겨 안았다. 하루오의 키스는 진하고 부드럽다.

머리맡 라디오에서 고리타분한 테크노 팝이 흘러나온다. 열어둔 창문으로 들어오는 공기가 침대까지 와 닿아 뺨을 어루만지는 듯한 기분이다. 하루오의 방은 숲 속 같다고, 루리코는 생각했다.

하루오가 타준 인도네시아 커피를 루리코는 침대 안에서 홀짝였다. 이 커피를 마시고 나면 돌아가야 해. 루리코가 그렇게 생각한 것과, 하루오가,

"오늘은 좀 더 있다 갔으면 좋겠다."

라는 말을 꺼낸 것은 거의 동시였다.

"루리코 씨 지금 돌아갈 시간 걱정했죠? 나, 당신에 관해선 독심술을 쓰는지도 몰라."

루리코는 살짝 웃었다.

"그만 가봐야 해."

하고 소리 내어 말했다. 하루오가 토라진 얼굴을 한다.

"안 갔으면 좋겠다."

회색 트레이닝팬츠만 걸친 채 침대 옆에 선 하루오의 발치에 감청색 덤벨 하나가 나뒹군다.

"무리인 말 하지 마."

커피 잔을 내려놓고 속옷을 주워 입었다.

"미야코랑 헤어질지도 몰라요."

하루오는 다짜고짜 그렇게 말했다.

"헤어지고 싶어졌어."

루리코는 식탁 위의 터키 도라지꽃에 눈길을 주었다.

"그래서?"

재촉한 것은 다음 말을 듣고 싶어서가 아니라 듣고 싶지 않았기 때문이다.

하루오는 아무 말도 하지 않았다. 침묵이 생겨나고 서로 노려보는 상황이 되자 루리코는 어떻게 해야 좋을지 알 수 없었다.

"우리가 헤어져도, 루리코 씨랑은 아무 상관없는 일일지도 모르지만."

하루오는 멍하니 말하고서 티셔츠를 난폭하게 꿰입는다.

"왜 아무 말 않는 건데요? 그 말이 맞는다고 하면 돼요. 언제나처럼 냉정하게, 그 말이 맞는다고 하면 되잖아요."

쿵쿵거리며 창문을 닫으러 간 하루오는 루리코에게 등을 보인 채,

"아니면."

하고 말했다.

"아니면, 거짓말이라도, 상관있다고 하든지."

루리코는 울음이 터져 나오지 않도록 조심하면서,

"상관있어."

라고 인정했다.

"그리고 이건 거짓말이 아냐. 난 너에게 절대 거짓말은 하지 않아. 알잖아? 너도 내게 거짓말 못하는걸."

그리고……, 하고 말을 이었다. 하루오는 방 안쪽을 향해서서 루리코를 가만히 응시한다. 이제부터 자신이 하려는, 쓸쓸하기 그지없는 말에 루리코는 주춤거렸다. 마치 말이 가슴속에서 얼어붙은 것만 같았다.

"그리고 뭐?"

루리코는 하루오를 노려본다. 하루오는 언제나 가차 없다.

"그리고."

루리코는 간신히 입을 연다. 오싹하리만치 쓸쓸한 목소리가 나왔다.

"왜 거짓말을 못하는지 알아? 사람은 지키고 싶은 사람에게 거짓말을 해. 혹은 지키려는 사람에게."

루리코는 자신이 내뱉은 말에 자신의 심장이 얄팍한 종이처럼 간단히 찢겨 나가는 것을 느꼈다.

"네가 미야코 씨에게 거짓말을 하는 것처럼. 내가 사토시에게 거짓말을 하는 것처럼."

절망에 실체가 있다면 지금 이 방에 있는 것이 바로 그것이 리라고, 루리코는 생각했다.

"하지만 널 사랑해."

그것은 전혀 사랑의 언어답지 않게 울렸다. 단순한 사실로 서만 울렸고, 그것이 루리코가 하고 싶은 말이었다.

나는 이 남자를 사랑한다. 열렬히. 어쩔 도리 없이. 체면이고 뭐고 돌아볼 겨를도 없이.

"너무하네."

하루오가 입에 올린 말은 그게 다였다.

달콤하다

유리창을 닦는 것은 루리코가 좋아하는 작업이다. 한 달에 한 번은 닦는다. 분명 레몬향을 흉내 내고는 있지만 레몬향과는 동떨어진 유리 세정용 스프레이의 독특한 냄새를 들이쉬며, 루리코는 오늘 아침의 하루오를 떠올린다.

마치 사토시가 나가기만을 지켜보았던 양, 사토시가 출근하기 무섭게 집으로 찾아와, 잘 잤어요? 라고 했다. 얼마 전,

자기 집에서 그토록 슬픈 말을 주고받았으면서, 언제 그랬
냐는 듯 환하게 웃는 얼굴로. 아침에는 늘 식욕이 없고 파리
한 얼굴에 마지못한 기색으로 집을 나서는 사토시와는 대조
적인, 건강하고 따스한 모습이었다. 루리코의 얼굴에 금세 웃
음이 피어오르고, 기쁨에 겨워 마음이 녹신녹신 풀어졌다. 이
남자를 어떻게 거부할 수 있단 말인가.

해가 닿는 테이블에 마주 앉아 홍차를 마셨다. 넉살 좋게
빤히 마주 보다, 이따금 멋쩍어서 후후 하고 웃었다.

기묘하게도. 새시의 고무 패킹 부분을 걸레로 닦으면서 루
리코는 생각한다. 기묘하게도, 사토시와 둘이 사는 이 공간에
서 하루오와 차를 마시는 것이 부자연스럽지는 않았다. 아니
다. 부자연스럽다고 하면 부자연스럽지만, 위화감의 근원은
하루오가 아닌 이 방에 있었다.

루리코는 자신과 하루오가 어딘가 남의 집 거실에서 홍차
를 마시는 것 같았다. 두 사람이 본래 있어야 할 곳이 아닌 곳
에서.

한 시간이 좀 못 돼 하루오는 돌아갔다. 루리코는 현관에서
배웅했다. 문을 열기 전에 끌어안겼다. 길고 힘찬 포옹이었
지만, 하루오의 품 안에서 옷 냄새를 들이쉬며 루리코는 남의

집에 홀로 버려지는 듯한 불안감을 확실히 느꼈다.

　그래서. 걸레를 쓱쓱 빨아 헹구고, 내친김에 커튼도 세탁해야겠다 싶어 접사다리를 꺼내 왔다. 레이스 부분만 레일에서 벗겨내면서 루리코는 다시금 생각한다. 그래서, 문이 닫히자 갑자기 집안일에 의욕이 생겨서, 홍차 잔을 치우고, 유리창을 닦고, 이번에는 커튼까지 빨아치우려는 것이다.

　욕실은 좁고 썰렁하다. 세탁기를 돌리면서 사토시를 생각했다. 지금쯤 회사에서 일하고 있을 사토시를. 그리운 마음이 들었다. 보고 싶다, 라고 해도 좋았다. 루리코에게 사토시라는 존재의 크기―단순히 언어의 의미 및 구조로서, 그것은 크기 대신 '작기'라고 바꿔 말해도 마찬가지라는 생각에 루리코는 씁쓸히 웃었지만―는 변함이 없다. 처음 만나 몇 년이지나고, 결혼 후 또 몇 년이 지나도, 사토시는 쭉 그대로였다. 성실하고, 루리코가 알지 못하는 것들을 잘 알고, 루리코를 바깥 세계로부터 보호해준다. 창처럼. 그러는 한편, 사토시는 무척 어린아이 같아서 날마다 루리코를 필요로 한다. 창이 방을 필요로 하는 것처럼.

　하루오를 만나기 전까지 루리코는 설마 자신이 연애를 하게 되리라곤 생각도 못했다. 남편의 바람에 대해서는 공상을 반복하고, 그럴 경우 자신이 취해야 할 태도는 이리저리 시뮬레이션 해보았지만, 설마 자신이 연애를 하게 될 줄이야.

"시트 한번 끝내주네요."

시호는 구김살 없는 목소리를 냈다. 러브호텔은 좁고, 침대에는 새빨간 새틴 시트가 깔려 있었다. 종이봉투에 든 콜라와 프라이드치킨에는 손도 대지 않고 사토시는 시호의 입술을 덮으며 침대에 쓰러졌다. 부모님이 집을 비우기만을 기다렸다가 여자아이를 데리고 들어온 십대 소년처럼.

시호 런치가 있는 날, 점심시간 한 시간이 단연코 사토시 하루의 중심이었다. 에어포켓이 따로 없다. 다른 시간. 다른 장소. 공기의 밀도까지 다르다. 그리고 자신의 인격도.

"선배 무서워요."

사토시의 얼굴을 올려다보며 시호는 그렇게 말했다.

"이 방문이 열리지 않으면 좋을 텐데. 선배와 단둘이, 이곳에 갇혀버리면 좋을 텐데."

시호의 말은 걷잡을 수 없이 사토시를 몰아붙인다. 루리코가 입에 올리는 말과는 전혀 다르다. 좀 더 유치하고, 좀 더 솔직하다. 그리고 자신의 심장에 직접 와 닿는다.

루리코라면 이런 어둑어둑한, 이런 비위생적인, 이런 새빨간 시트 위에서는 절대 몸을 허락하지 않으리라.

"좀 더 가까운 게 좋아."

시호는 사토시에게 달라붙었다.

"좀 더 붙어요."

몸을 포개고 또 포개도 시호는 만족할 줄 몰랐다.

"좀 더, 전부 붙이고 싶어."

불안한 듯 그렇게 말했다. 사토시는 시호에게 거의 삼켜질 지경이 되었다. 창이 없는 호텔의 한 방에서.

사토시는 온화한 사람이라고 루리코는 생각한다. 나는 사토시에게 응석을 부리며 살고 있다, 사토시의 손바닥 위에서 우쭐거릴 뿐이다, 라고.

사토시는 매일 아침 거울 앞에서 잇몸 상태를 점검하고, 회사에 나가 일을 하고, 매일 이곳으로 돌아온다. 루리코가 청소한 집 안에서 루리코가 차린 저녁을 먹고, 루리코 취향대로 꾸며놓은 침실에서 잠을 잔다. 실제로 루리코는 집 안을 꾸미는 데 많은 공을 들였다. 영국산 천으로 맞춘 커튼과 오랜 기간 모은 앤티크 베어들. 루리코는 이 집을 자기 자신 자체라고 느낀다.

하루오와 만나기로 한 약속 시간이 코앞으로 다가왔다. 전화를 걸어 취소하면 된다고 루리코는 자신을 채근한다. 급한 일이 생겨버렸다고 말하면 된다. 아니면 두통이 좀 있다고. 그도 아니면 차라리 오늘은 만나고 싶지 않다, 라고.

요즘 루리코는 매 순간 흔들린다. 이 집에 있을 때는 사토시가 전부인 듯 느껴지고 하루오와 헤어지려 마음먹는다. 반대로 하루오 곁에 있을 때는 하루오만 있으면 될 것 같고 사토시와 헤어지고 싶어진다. 내게는 생각이란 것이 없는지도 모른다고, 뺨을 괴고 앉아 베어 하나를 바라보면서 루리코는 생각한다. 나는 늘 눈앞의 일만으로도 힘겨워지고 만다.

그때 전화벨이 울렸다.

"새언니?"

아야였다. 이 아이는 늘 타이밍을 못 맞춘다.

"나예요. 지금 역 앞에 와 있는데 잠깐 들러도 돼요?"

"미안해요. 마침 나가려던 참이라서."

루리코는 그렇게 말하고, 그러나 다음 순간 생각을 고쳐먹었다.

"아, 좋아요, 괜찮아요. 지금 역 앞이라고 했죠? 응, 기다릴게요."

아야는 네에, 하고 전화를 끊었다. 루리코는 마음이 변하기 전에 그대로 하루오에게 전화를 건다.

"미안. 손님이 오기로 해서. 시누이 아야인데, 늘 불쑥 찾아오는 통에."

하루오는 화내지 않았다. 흐음, 하고 말했다.

"알았어요. 그런 걸로 해두죠."

"뭐야, 그게. 정말 아야가 온다니까."

하루오는 대꾸하지 않았다. 그 대신,

"그럼, 그 후에 만나요."

라고 한다.

"무리야. 벌써 저녁때가 다 돼가는데, 너도 가게에 나가야 하잖아?"

"그럼 가게로 와주면 되겠네."

"하여튼 막무가내라니까."

"보고 싶어요."

하루오의 목소리는 작지만 확고하게 울렸다.

"어떻게든 오늘 꼭 보고 싶어요."

하루오의 마냥 슬퍼 보이는 옆얼굴이 눈에 어른거렸다.

"미야코랑 헤어졌어요."

"뭐?"

한 방 먹은 기분이었다.

"미야코랑 헤어졌어요."

루리코는 대꾸할 말이 떠오르지 않았다.

"너, 괜찮아?"

현관벨이 울리고, 이어서 문 여는 소리와 함께 "안녕하세요오." 하는 아야 목소리가 들렸다.

"괜찮지 않아요."

하루오의 대답에 루리코는 더욱 말문이 막힌다.

"아, 통화 중?"

아야는 딱히 목소리를 낮추는 기색도 없이 말하고, 루리코는 혼란스러운 마음을 안은 채,

"그만 끊어야겠다."

라고 말했다.

"아오야마의 레스토랑?"

재빠르게 옷을 챙겨 입으며 시호가 물었다.

"물론 기억해요. 징거미새우 먹었던 데죠? 석양이 아주 멋

있었어요. 벽은 물색이었고."

침대 반대편에서 마찬가지로 옷을 주워 입으며 사토시는 미안하다고 말했다.

"얼마 전에, 루리코를 거기 데려가고 말았어."

설마, 라고 말하는 시호의 목소리는, 그러나 사토시가 우려 했던 것만큼 화나거나 슬픈 듯 들리지 않았다. 단순히 놀란 목소리였다.

"미안."

사토시는 다시 한 번 사과한다. 솔직하게 말할 수 있어서 안도했다. 시호에게 거짓말은 하고 싶지 않다.

"하지만."

사토시는 목소리 톤을 밝게 해 급히 말을 잇는다.

"하지만 전혀 달랐어. 시호와 가지 않으면 안 될 것 같아. 딱히 그녀 탓은 아니지만, 시호와 같이 갔을 때처럼 즐겁지도, 맛있지도 않았어."

루리코를 그녀라 부르고 보니, 마치 자신이 아내로부터 독 립한 듯한 기분이 들었다. 루리코가 곧잘 비유하는 '미셸과 폴레트'가 아닌 한 인간으로 시호와 마주한 느낌이었다.

"정말일까."

말 자체는 회의적이었지만, 못내 기쁨을 숨기지 못하는 목소리로 시호는 말했다.

"정말로 정말일까."

시호의 이런 밝은 면이 사토시의 마음을 흔든다. 밝고 건강한, 그리고 아마도 영리한 면이.

"정말이라니까."

방을 나설 무렵, 사토시는 상쾌한 기분이 되어 있었다.

"그러니까 또 가자. 당장 가자. 오늘 밤이라도, 다시 한 번 만나준다면."

엘리베이터 문 앞에서, 시호는 기쁨의 목소리를 높이고 만세 포즈를 취했다.

빌딩가를 20분 정도 걸으면 사토시가 다니는 회사가 나온다. 대낮의 먼지투성이 공기와 발치에서 마른 소리를 내는 낙엽. 고작 한 시간의 분주한, 그러나 단순하고 편안한 시호와의 꿀 같은 만남이었다.

하루오는 약았다.

지하철에 흔들리면서 루리코는 입술을 깨물었다. 그토록 상처 입은 목소리를 내다니, 하루오는 약았다. 내가 결국 찾아오게 되리란 것을 하루오는 알고 있는 거다.

루리코는 하루오가 상처받는 것을 원치 않았다. 자신이 상처받는 것 이상으로, 사토시가 상처받는 것 이상으로, 하루오가 상처받는 게 두려웠다.

개찰구를 빠져나와 계단을 오른다. 모퉁이의 은행, 그 맞은편 패스트푸드점에서 풍겨 나오는 냄새. 하루오가 사는 이 거리가 어느새 자신에게 더할 나위 없이 친근한 곳이 되었다는 것을 깨달으며 루리코는 바삐 걸었다.

—잠깐 나갔다 와야 할 것 같은데.

루리코 말에 아야는 다 안다는 듯 싱긋 웃으며,

—급한 볼일인가 보네요?

라고 말했다.

—괜찮아요. 나는 딱히 급하지 않으니까, 여기서 기다릴게요.

라고.

아야가 뭘 어떻게 억측하든, 거기에 마음 쓸 여유는 없었다. 가면 안 된다는 것을 알면서도, 동시에 자신이 반드시 가리란 것도 알았다.

하루오의 인격이 좋았다. 하루오의 인격이 깃든 모든 것, 사소한 표정 변화며 팔이며 입술, 체온, 정강이, 머리카락, 그리고 감정에 솔직한 그 목소리가 좋았다.

—새언니 예쁘네요.

현관에서 아야는 그런 말을 했다.

—새언니 오기 전에 오빠가 들어오면, 뭐라고 말해두면 돼요?

라는 말도.

하루오는 베란다에서 담배를 피우고 있었다. 골목에 서 있는 루리코를 보더니 진심으로 안도한 얼굴로 숨을 토하고는, 미소를 짓고, 베란다에서 사라지기가 무섭게 아파트 밖으로 나왔다.

루리코는 우뚝 선 채 포옹을 받았다. 되안아주지는 않았다. 그저 만났다는 사실에 안도했다.

앙투안은 부엌 테이블 위에 놓여 있었다. 잔돈과 키홀더, 게다가 어찌된 영문인지 칫솔이 하나.

"와줄지도 모른다고 생각했어요."

하루오는 인도네시아 커피를 내리면서 말했다.

"거짓말."

말은 그렇게 했지만, 루리코는 그의 말이 거짓이 아니라는 것을 알고 있었다. 그래서 이렇게 와버린 것이다.

"걱정했어."

루리코가 말했다.

"아주 많이 걱정했어."

스스로도 예상 못한 일이었으나, 그것은 노여움이었다.

"됐으니까."

가로막으며 끌어안으려는 하루오의 팔을 뿌리쳤다.

"오는 게 아니었어."

오는 게 아니었어, 라고 루리코는 되풀이해 말했다. 자기
자신에게 화가 났다. 혼란스럽고, 불안하고, 심장이 무섭도록
빠르게 두방망이질 친다.

"무서웠어."

됐으니까, 라고 하루오는 다시 한 번 말했다.

"이런 거 전혀 달콤하지 않아."

흐느껴 울었다.

"진정해요."

손목을 잡히는 바람에 이번엔 뿌리칠 수가 없었다. 하루오
가슴에 얼굴이 부딪친다. 익숙할 대로 익숙해져 버린 하루오
의 살냄새, 그리고 체온.

"봐요, 루리코 씨, 진정하라니까."

달래듯이 루리코의 등을 토닥여주었다.

"헤어진 건 난데 왜 루리코 씨가 울어요?"

우습잖아요, 하며 하루오는 힘없이 웃었다.

"우습지 않아."

슬펐다. 그리고 화가 났다. 루리코의 목소리는 한껏 젖어 있다.

"널 사랑하니까."

말하고 나자 다시 눈물이 나왔다. 경기를 일으킨 갓난아이 같다는 생각이 들 만큼, 체면이고 뭐고 없이 그냥 울어버렸다. 얼굴이 화끈거리고 가슴이 답답하다. 하루오는 등을 토닥이던 손을 멈추고, 그대로 가만히 루리코를 보듬어 안았다.

"그건."

이내 툭하니 말한다.

"그건 너무 달콤하잖아요."

바꽃

최신 게임이라며 시호가 권한 것은 라이플총으로 적을 공격해 납치된 미국 대통령 일가를 구출하는 내용이었다. 옥상에 서서 다른 빌딩 옥상에 있는 테러리스트들을 총으로 쏘아 맞히는 첫 스테이지는 어렵지 않게 통과했다. 그러나 축구장으로 도망쳐 들어간 적을 붙잡는 두 번째 스테이지는 생각처럼 되지 않았다.

"이거 되게 어려워요."

시호가 말한다.

"그래도 재밌죠?"

라고.

굴착기로 모래를 옮기는 게임도 시도해보았다.

"이것도 따끈따끈한 새 게임."

이라며 시호가 권했기 때문이다.

금요일 밤. 사토시는 여자를 동반하고 가부키초를 배회하고 있다.

"좀 더 마실까?"

게임센터를 나온 후 사토시가 물었다. 아까 저녁을 먹으러 들른 가게에서는 맥주만 조금 마셨을 뿐이었다. 시호는 고개를 갸우뚱한다.

"그것도 좋지만."

거리는 여전히 흥청거린다. 전단지를 나눠주는 사람들 사이를 술에 취한 직장인들이 지나쳐 간다.

"시간 있으면 저쪽에 잠깐 가보자고 하는 건 어때요?"

시호는 사토시의 손을 잡아 가볍게 끌었다.

'저쪽'이란 호텔이 늘어선 부근을 말한다.

시호가 졸라대면 그리 싫지는 않았다. 대부분의 여자—사토시가 생각하는 대부분의 여자—와 달리 시호는 결코 경박하거나 상스럽지 않았다. 과자를 조르는 어린아이 같은 단순함과 천진함이 있었다.

"이의 없음."

사토시는 대답하고서 시호와 손을 맞잡고 '저쪽'으로 향한다. 나는 자유다, 라고 느꼈다. 학생 때처럼 자유롭다, 라고.

금요일. 루리코는 의뢰받은 원고를 쓰기 위해 거실 테이블 앞에 앉았지만 도무지 진척이 없었다. 홍차도 손 한번 대지 않은 채 다 식어버렸다.

사토시는 학교 때 친구랑 한잔할 거라 늦는다고 했다. 밤은 길다. 루리코는 생각한다. 이대로 하루오와 헤어진다면, 나는 앞으로 쭉, 다음 날도 그다음 날도, 이 집 안에서 사토시가 들어오기만을 기다리며 살아야 한다, 라고.

하루오와는 그날 이후 한 번도 만나지 않았다. 하루오가 한 차례 전화를 걸어 보고 싶다고 했지만 루리코는 거절했다.

—만나면 곤란해지는걸.

자신이 생각해도 지나치게 솔직하다 싶은 말로 거절했다.

―곤란하게 안 할게요. 약속해요.

　하루오가 말했다.

　―지금 이상은 바라지 않으니까.

라고.

　거기에 대해 루리코는 생각했다. 그리고,

　―그래도 곤란해.

라고 대답했다.

　―네가 곤란하게 안 해도, 내가 멋대로 곤란해져 버린다니까. 네가 바라지 않아도, 내 스스로 바라고 마는걸.

　그렇다면, 하고 말하려는 하루오를 가로막으며 루리코는,

　―이제, 그만둬야 해.

라고 말했다. 이제, 그만둬야 해.

　그, 전화.

　루리코는 잘 모르겠다. 펑펑 울고 나면 과연 후련해질까.

　하루오가 만드는 공기, 하루오가 선택하는 언어, 그 방에서 마시는 커피. 하루오의 손목뼈, 발바닥 모양. 목이 좀 늘어난 티셔츠 사이로 엿보이는 쇄골. 갑자기 활짝 웃는 얼굴. 토라진 말투, 담배를 피울 때 찡그리는 눈썹. 루리코를 끌어안는 힘 있는 팔, 입술이 녹고 허리가 부러질 것 같은 키스, 하루오

의 살냄새.

하나하나 떠올릴 때마다 현기증이 난다.

바람이 잘 통하는 어질러진 방 안에서 수도 없이 끌어안았
다. 자막을 가리기 위해 박스 테이프를 붙인 TV, 도중에 침
대로 이동해버리는 바람에 언제나 절반밖에 보지 못했던 영
화. 루리코는 TV 화면의 박스 테이프를 방해물로 여기는 동
시에 사랑스럽다고 느꼈다. 요리 주점에서 일하는 하루오의
빠릿빠릿한 몸놀림, 낡아빠진 자전거.

전부 떠올리려 한다. 달콤한 추억인 양.

우롱차는 200엔이고 미네랄워터는 220엔이었다. 사토시
와 시호는 호텔 냉장고에서 음료를 꺼내 벌거벗은 채로 마셨
다. 그러고는 핑크색 욕조에 목욕물을 받아 둘이 함께 몸을
담갔다.

"선배, 차 있어요?"

시호가 불쑥 물었다.

"아니, 없는데."

"면허는?"

"있지만 운전할 일이 좀체 없으니까. 모처럼 렌터카를 빌렸

던 지난번 스키 여행 이후로는 운전한 적 없어."

욕실은 넓고 청결해 보였다. 버튼을 누르자 욕조 여기저기에서 거품이 보글보글 일었다.

"그럼 내가 운전할게요."

시호가 선언했다.

"그러니 다음에 드라이브 가요."

라고.

"여름휴가, 일주일쯤 되죠? 그 일주일 중에 딱 하루만 나한테 할애하는 거 어때요? 내가 휴가 날짜를 맞출 테니까."

"좋아, 가자."

사토시는 시호의 매끄러운 등을 끌어안으며 대답했다.

"어디로 갈까요? 멀수록 좋은데. 당일치기로 다녀올 수 있는 가장 먼 곳!"

어려울 것 하나 없는 일이었다. 시호야말로 사토시가 생각하는 '여자'였다. 사토시가 좋아하는, 그리고 필요로 하는.

"나고야 정도면 될까. 북쪽이라면 후쿠시마?"

시호가 장난스럽게 말하기에 사토시도 덩달아,

"좀 더 멀리 갈 수 있지."

라고 말해버렸다.

"나라든, 교토든, 미야기든, 이와테든."

말하다 보니 왠지 마음이 관대해져서,

"가려고만 하면 어디든 갈 수 있어. 그날 안에 못 돌아올 것 같으면 자고 오면 되고."

라는 말까지 해버린 것에는 자신도 조금 놀랐다. 시호는 순간 뜻밖이라는 표정을 하고, 욕조 안에서 몸을 틀어 사토시의 목에 두 팔을 둘렀다.

시호야말로. 사토시는 다시 생각한다. 시호야말로 내게 필요한 여자다. 상냥하지만 똑 부러지고, 마냥 내게 의지하는가 싶으면 독립적이고, 귀엽지만 대담하고. 게다가 무엇보다, 말이 통한다. 말이 통하는 상대는 편하다.

"약속하는 거예요."

사토시의 목에 매달린 채 시호는 말했다.

"약속 깨면 바늘 천 개 먹기. 알았죠?"

기억.

루리코는 그것에 대해 생각한다. 사토시와 처음 만난 날부터 데이트를 거듭한 나날, 문득 서로 마음이 닿았다고 여긴 몇 번의 순간, 사토시를 고독한 사람이라고 생각했던 것, 자신도 고독했음을 깨달았던 일, 함께 있고 싶다고 생각했던 것.

루리코는 또렷이 기억했다. 또렷이, 하지만 아득히 먼 느낌으로.

살 집을 함께 찾아다닌 일, 아무것도 없는 집에 사토시가 우선 TV와 스테레오를 갖춰놓은 일, 루리코가 일 때문에 밖에 나간 날, 집에 돌아와 보면 늘 사토시가 있었던 것, 사토시는 자기편이었던 것. 결혼 따위 무모하다고 말하는 애너벨라에게 너는 아직 그런 상대를 못 만나서 그래, 라고 말했던 것.

베란다는 공기가 미적지근하고 무덥다. 주인집에는 아직 불이 환하게 밝혀져 있다.

그러나 하루오와의 사이에 있었던 일은 그런 기억과는 무관한 것이었다. 아무런 연관이 없는, 그래서 전혀 모순되지 않는, 그래서 기억과 그에 따르는 현실을 파괴할 수도 없는……

달콤한, 별개의 기억.

마지막 전철은 몹시 붐볐다.

어쩌자고 다들 금요일만 되면 술에 취하고 싶어 하는지. 사토시는 자신이 지금 이 전철 안에 있는 이유는 남들과는 전혀 다르다는 긍지 아래 그렇게 생각한다. 온 칸에 술 냄새가 진동하지 않냐고. 시호가 탄 전철이 이렇게 혼잡하지 않길 기도했다. 혼잡을 핑계로 술 취한 영감태기가 시호에게 들러붙지 않도록.

루리코를 슬프게 할 생각은 없었다. 오히려 시호를 만나면서 루리코와 사이가 원활해진 것 같은 느낌이 든다.

지하철에서 내리자 기분이 무척 좋았다. 몸도 마음도 가벼웠다. 편의점에 들러 잡지를 사가지고 가자고 생각했다. 루리코가 싫어하는 스낵 과자와 코카콜라도. 그리고 루리코를 만나면 평소보다 더 오랫동안 '껴안아주자' 하고 생각했다.

"다녀왔어."

사토시가 안아주자, 왜인지 루리코가 그렇게 말했다. 눈을 감고 작은 목소리로.

"왜? 어디 갔다 왔어?"

사토시가 묻자 루리코는 피식 웃었다.

"갔었지."

라고 대답하고는, 고마워, 하며 품 안에서 빠져나갔다.

"이거 봐봐."

루리코의 재촉에 테이블 위를 보던 사토시는 루리코가 왜 이렇게 기분이 좋은 건지 모르겠단 생각을 했다.

"새로운 곰?"

묻자, 루리코는 종이를 한 장 손에 들고 다시 한 번 말했다.

"봐봐."

하지만 종이를 들여다봐도 사토시는 알 수 없었다. 이 집에 있는 많고 많은 패턴들 중 하나로밖에 보이지 않았다.

"월등히 힘이 센 베어를 만들고 있어."

루리코가 설명했다.

"청년 베어야."

그것은 루리코에게 뭔가 의미가 있는 일인 듯했다.

"좋네."

그래서 그렇게 말했다.

"기대되는걸."

"차 한잔하시겠어요?"

루리코가 공손히 묻고,

"네, 마시겠습니다."

하고 사토시가 대답한다. 루리코가 타주는 차는 맛있다.

"오빠네는 정말 특이해."

아야는 차 사발에 담긴 녹차를—가냘픈 집게손가락을 사발 가장자리에 걸치고 왼손으로 받쳐 전체를 들어 올리는 기묘한 모양새로—마시며 그렇게 말했다.

오전 9시. 사토시는 아직 일어나지 않았다.

"덥네에."

이보다 시원할 수는 없겠다 싶은 슬립 드레스 차림으로, 그러나 정말이지 더워서 축축 늘어진다는 듯 창밖을 보며 아야는 말했다.

"아침은 먹었어요? 죽이 좀 있는데."

아야는 필요 없다고 짧게 대답하고서, 가느다란 담배에 불을 붙였다.

"새언니랑 오빠를 보고 있으면 정말 뭐가 뭔지 모르겠다니까."

모양 좋은 입술을 오므리며 연기를 길고 가늘게 토해낸다. 그리고 두 다리를 아무렇게나 뻗으며,

"아, 짜증 나."

라고 했다. 아야는 애인과 사이가 원만하지 않단다. 아침 8시에 찾아와 그런 이야기를 했다. 그 남자가 요즘 들어 몸을 사

리는 것 같다고.

"좋은 거 알려줄까요?"

루리코가 말했다.

"동반 자살을 하려면 솔라닌이 딱이에요."

솔라닌? 하고 되묻는 아야에게 설명해준다. 감자 싹에 독이 있잖아요, 왜. 솔라닌이라는 이름인데, 그걸 잔뜩 키워서 조림을 해 먹으면 그걸로 끝이에요.

아야는 순간 입을 떡하니 벌리고, 곧이어 깔깔깔 웃었다.

"감자 싸악? 소용없어요, 그딴 거. 독 축에 끼지도 않는다니까요. 새언니 정말 웃겨."

한바탕 웃고 난 아야는 루리코의 손을 가볍게 만지며,

"우리 시골 근처에 좀 더 좋은 게 있어요."

라고 말했다.

"그게 뭐냐면 말이죠, 바꽃이에요."

바꽃.

"놋젓가락나물이랑 비슷해서, 들통 나더라도 핑계 대기 수월할 거예요."

바꽃.

루리코는 그 이름을 마음속으로 몇 차례 되뇌었다.

"아야 아가씨, 무서운 말을 다 하네요."

그러고는 생각했다. '그래, 바꽃이다'라고. 그런 식으로 연애를 하고, 그것을 단념하면서까지 지켜낸 사토시와, 단둘이, 영화 〈금지된 장난〉의 미셸과 폴레트처럼 바싹 붙어 지낼 수 없다면, 그때는 바꽃이다. 나물과 튀김. 영양밥으로 만들면 어떤 맛이 날까.

방 안은 밝고, 테이블 위에는 만들다 만 베어의 몸통이 양달에서 볕이라도 쬐는 양 나뒹군다. 사토시와 루리코의, 사랑의 집 안에서.

-END-

옮긴이의 말

.

"사람은 지키고 싶은 사람에게 거짓말을 해. 혹은 지키려는 사람에게."

남편만을 사랑하고 싶지만 애인이 생겨버린 여자 루리코, 외도를 결혼 생활의 윤활유로 여기는 남자 사토시. 남들이 알지 못하는 부부 사이의 골을 불륜으로 메워나가기 시작한 두 사람 사이에는 자연히 말 못할 비밀이 하나둘 늘어가고, 하지만 거기에는 추한 수라장도 없으며 몸부림치는 죄책감과 싸움도 존재하지 않는다. 비밀스러운 만남을 지속하며 남편 혹은 아내에 대한 애정의 깊이를 확인하려 드는 모습이 존재할 뿐, 결혼이란 것을 유지하기 위해 부러 비밀을 쌓아가는 듯한 이들의 모습이 못내 씁쓸하다. 서로의 눈빛 하나, 손짓 하나에도 무한한 관심을 기울이던 첫 마음은 간데없고, 집 밖에 애인을 두어야 집 안의 배우자에게 잘할 수 있다는 모순된 논리라니, 두 사람 모두에게 가정이라는 창(窓) 안은 더 이상 안전하지도, 흡족하지도 않은 공허한 공간일 뿐이다.

"중요한 건, 하루하루를 함께 살아가는 데 있다고 봐. 함께 자고 함께 일어나고, 어딜 나가더라도 다시 같은 장소로 돌아온다는 거."

이 또한, 루리코 자신이, 그리고 사토시가 달라지지 않으리라는 체념과 절망이 묻어나는 말이기에 더욱 안타깝고 슬프다. 집으로 '돌아온다'는 것, 그것마저도 거짓과 거짓 사이에 생겨난 짧은 휴식에 지나지 않는다.

간결하고 청아한 문체로 많은 이의 사랑을 받는 작가 에쿠니 가오리가 이번에는 결혼 3년 차 부부의 다소 충격적인 일상과 무섭도록 솔직한 심경을 섬세하게 그려내고 있다. 그녀가 엮어가는 이야기는 늘 그렇듯 조용하고 담담하게 진행되지만, 그 근저에는 죽음보다 깊은 고독과 광기가 감돈다. 더불어 미처 모르고 있던, 혹은 알고도 모르는 척 덮어두고 싶은 섬뜩한 진실을 살며시 표면으로 드러내 보이며 매번 독자들에게 새로운 질문을 던진다.

'가장 지키고 싶은 관계를 유지하기 위해 거짓말을 하고 다른 사람을 사랑하는 것.'

'둘이 있어도 외롭지만, 그럼에도 둘이 있고 싶은 것.'

참으로 모순된, 이해하기 어려운 이야기이지만, 이 또한 세상에 존재하는 수많은 부부들의 모습 중 하나라는 사실도 부정할 수 없다.

하지만 사람과 사람의 정직한 관계에서 비롯되는 사랑의 힘이야말로 행복한 결혼 생활의 원천이 아닐까. 열정만으로 유지되는 것이 연애라면, 결혼이란 그 열정이 식고 나서도 계속해야 할 기나긴 생활이다. 때때로 진부하고 지루하고 두렵고 불안하기까지 한 현실인 것이다. 그러니 쉬이 체념하고 쉬이 절망하지 말 것. 진정한 해피엔딩을 원한다면, 기대가 실

망으로, 관심이 집착으로 혹은 무관심으로 치닫기 전에 눈을 맞추고 귀를 기울여 서로의 마음에 자리한 생각과 소망이 무엇인지 들여다보는 노력이 필요할 것이다.

끝으로 오늘 아침 내 눈에 들어온, 쓴웃음을 짓게 한 구절 하나를 덧붙인다.

'누구와 결혼하는지는 그리 중요하지 않다. 왜냐하면, 결혼을 하고 나면 청혼했을 당시의 그 사람과는 전혀 다른 사람과 함께 살게 되는 까닭에.' (조안 헨리에타 콜린스)

2010년 신유희

Sweet Little Lies